Start

3

정답과 해설

CHAPTER 1 대명사

UNIT 1 인칭대명사 (주격/목적격)

Step 2 p.13

A 1 I 2 나를 3 너는, 너희들은 4 you
5 he 6 그를 7 그녀는 8 her
9 we 10 우리를 11 they 12 them
13 그것은 14 it

B 1 They 2 She, it 3 them 4 I
5 him, He

C 1 We 2 her 3 you 4 it
5 They 6 me 7 us 8 He

D 1 He 2 her 3 They 4 It
5 them 6 him 7 They 8 We

→ 1 그 남자는 축구를 한다. / 주어 The man을 대신하므로 주격 He(그는)가 알맞다.
2 나는 내 할머니를 그리워한다. / 동사 miss의 목적어 자리이므로 목적격 her(그녀를)가 알맞다.
3 지민이와 유리는 키가 크다.
4 그 얼룩말은 빨리 달린다. / 단수 명사 주어인 The zebra를 대신하므로 It(그것은)이 알맞다.
5 우리는 우리 고양이들을 정말 좋아한다. / 동사 love의 목적어 자리이면서 복수 명사인 our cats를 대신하므로 them(그것들을)이 알맞다.
6 우리는 그 남자아이를 안다. / 동사 know의 목적어 자리이면서 남자인 the boy를 대신하는 것은 him(그를)이다.
7 그 책들은 인기가 있다.
8 너와 나는 좋은 친구이다.

Step 3 p.15

A 1 me 2 We 3 him 4 She 5 us

→ 1 그는 나를 안다.
2 우리는 한국 음식을 정말 좋아한다.
3 릴리는 그를 기억한다.
4 그녀는 책들을 가지고 있다.
5 나의 선생님은 우리를 도와주신다.

B 1 us, Mr. Smith teaches us. He is a math teacher.
2 They, They like the movie. It is fun.
3 it, Alex has a car. He washes it.

→ 1 동사 teaches의 목적어가 필요하므로 목적격 us(우리를)가 알맞다.
2 문장의 주어가 필요하므로 주격 They(그들은)가 알맞다.
3 동사 washes의 목적어가 필요하므로 목적격 it(그것을)이 알맞다.

UNIT 2 인칭대명사 (소유격/소유대명사)

Step 2 p.17

A 1 mine 2 our 3 우리의 것 4 yours
5 그의 6 his 7 her 8 그녀의 것
9 그것의 10 their

B 1 Your 2 my 3 Its 4 his
5 their 6 Our 7 theirs 8 Her
9 ours

C 1 Her 2 mine 3 their 4 your
5 Its 6 his 7 our 8 yours

D 1 its 2 his 3 mine 4 her

5 theirs 6 Your 7 hers 8 Its
9 our

→ 소유격은 항상 명사와 함께 쓰이지만, 소유대명사는 명사 없이 혼자서 쓰인다.

→ 1 나는 그것의 색깔이 마음에 든다.
2 이것은 그의 정원이다.
3 그 청바지는 내 것이다.
4 팀과 나는 그녀의 이야기를 좋아한다.
5 그 집은 그들의 것이다.
6 네 안경은 탁자 위에 있어.
7 그 노란색 차는 그녀의 것이다.
8 그것의 코는 길다.
9 테일러 씨는 우리의 영어 선생님이다.

Step 3 p.19

A 1 his 2 Its 3 their 4 her 5 ours

→ 1 그 신발은 그의 것이다. / 문장의 주어는 The shoes이므로 주격 he는 들어갈 수 없다. '그의 것'이라는 뜻의 소유대명사 his가 알맞다.
2 그것의 눈은 크다. / 뒤에 명사 eyes가 있으므로 소유격 Its가 알맞다.
3 사람들은 그들의 노래들을 좋아한다.
4 그 남자는 그녀의 삼촌이다.
5 그 컴퓨터는 우리의 것이 아니다.

B 1 His, His hands are dirty.
2 yours, The ticket is yours.
3 their, We need their help.

UNIT 3 지시대명사

Step 2 p.21

A 1 This 2 Those 3 That 4 This
5 That 6 These 7 Those 8 These

B 1 That is 2 Those are 3 This is
4 These are 5 Those are

→ This와 That 뒤에는 be동사 is가 오고, These와 Those 뒤에는 be동사 are가 온다.

C 1 These 2 are 3 That 4 Those
5 This 6 is

→ 2 Those는 멀리 떨어져 있는 여럿을 가리키므로 are가 뒤에 온다.
6 This는 가까이 있는 하나를 가리키므로 is가 뒤에 온다.

D 1 This is 2 That is 3 This is
4 Those are 5 This is 6 These are

→ 1 이것은 내 축구공이다.
2 저것은 그의 집이다.
3 이것은 그녀의 고양이다.
4 저것들은 우리의 개들이다.
5 이 분은 그녀의 아빠이다.
6 이것들은 그들의 상자들이다.

Step 3 p.23

A 1 These are 2 That is 3 Those are
4 This is 5 These are

→ 1 이것들은 내 신발이다. / 빈칸 뒤에 복수 명사 my shoes가 오므로 여럿을 가리키는 These가 알맞다.
2 저것은 병원이다. / 빈칸 뒤에 단수 명사 a hospital이 오므로 하나를 가리키는 That이 알맞다.
3 저것들은 그의 자동차들이다.
4 이 사람은 내 사촌이다.
5 이분들은 그들의 부모님이다.

B 1 Those are, Those are his brothers.
2 That is, That is your toothbrush.
3 These are, These are my cookies.

CHAPTER EXERCISE

CHAPTER 1 p.24

01 ② 02 ③ 03 ① 04 ③
05 These, Their 06 That, She 07 your
08 They 09 She 10 ② 11 We
12 them 13 it 14 ③ 15 ① 16 ②
17 ② 18 These are 19 Her 20 Our
21 Its 22 His, me 23 Your, my
24 He, them 25 This, her

01 ② him은 '그를'이라는 뜻의 목적격 대명사이다. 나머지 she(그녀는), we(우리는), they(그들은)는 모두 주어 자리에 오는 주격 대명사이다.

02 ③ us는 '우리를'이라는 뜻의 목적격 대명사이다.

03 ① 주격(I)과 소유대명사(mine)의 관계이다. 나머지는 모두 주격과 소유격으로 짝지어져 있다.

04 · 그의 이름은 벤이다. · 그 케이크는 너의 것이다. / 첫 번째 문장의 빈칸 뒤에 명사 name이 오므로 '누구의' 이름인지 나타내는 소유격 대명사가 필요하다. 두 번째 문장의 빈칸 뒤에 명사가 없으므로 '너의 것'을 의미하는 대명사 yours가 적절하다.

05 이것들은 말들이다. 그것들의 색은 갈색이다. / 가까이 있는 여럿을 가리키는 지시대명사는 These이다. 두 번째 문장에서는 명사 color 앞에서 '누구의' 색인지 나타내는 소유격 대명사 Their가 알맞다.

06 저분은 내 이모[고모]이다. 그녀는 꽃가게에서 일한다. / 멀리 있는 사람 한 명을 가리키는 지시대명사는 That이다. 두 번째 문장에서는 동사 works 앞에 주어가 필요하므로 주격 대명사 She가 알맞다.

07 나는 네 신발이 마음에 들어. / 뒤에 명사 shoes가 오므로 '누구의' 신발인지 나타내는 소유격 대명사 your가 알맞다. you're는 you are의 줄임말이다.

08 그 강아지들 좀 봐! 그것들은 귀여워. / 주어 자리이고, 앞에 나온 복수 명사 the puppies를 대신하므로 They가 알맞다.

09 샘은 여동생[누나]이 있다. 그녀는 안경을 쓴다. / 주어 자리에 오는 대명사는 She이다.

10 ① 그 양말은 내 것이다. ② 저것은 네 지갑이야. ③ 그 집은 그녀의 것이다. ④ 그 검은색 모자는 그의 것이다. / ② your는 소유격 대명사이고, 나머지는 모두 '~의 것'이라는 뜻의 소유대명사이다.

11 주어 자리이고, '나'를 포함하므로 주격 대명사 We(우리는)로 바꿔 쓸 수 있다.

12 동사 like의 목적어 자리이고, '나'와 '너'를 포함하지 않는 다른 사람 여럿을 가리키므로 목적격 대명사 them(그들을)으로 바꿔 쓴다.

13 동사 washes의 목적어 자리이고, 사물 하나를 가리키므로 목적격 대명사 it(그것을)으로 바꿔 쓴다.

14 ______ 눈은 파란색이다. ① 그녀의 ② 그의 ③ 우리의 것 ④ 나의 / 빈칸 뒤에 명사 eyes가 오므로 '누구의' 눈인지 나타내는 소유격 대명사가 들어가야 한다. ③ Ours는 명사 없이 혼자 쓰이는 소유대명사이다.

15 그 피자는 ______이다. ① 너의[너희들의] ② 그녀의 것 ③ 그들의 것 ④ 우리의 것 / ① your는 항상 뒤에 명사가 함께 쓰이는 소유격 대명사이므로 빈칸에 들어갈 수 없다.

16 ① 나는 네가 보고 싶다. ② 우리는 그를 안다. ③ 우리 이웃들은 우리를 도와준다. ④ 에이미는 일요일에 그들을 방문한다. / ② 동사 know의 목적어 자리이므로 목적격 대명사 him으로 고쳐야 한다.

17 ① 저것들은 개구리들이다. ② 이것들은 튤립들이다. ③ 저 사람은 그의 아들이다. ④ 이것은 네 스웨터이다. / ② be동사 뒤에 복수 명사 tulips가 있으므로 여럿을 가리키는 지시대명사 These 뒤에는 be동사 are가 와야 한다.

be동사와 일반동사

UNIT 1 be동사 현재형 긍정문/부정문/의문문

Step 2 p.29

A 1 is, isn't 2 is, isn't 3 are, aren't
4 are, aren't

→ 그림과 일치하면 is 또는 are, 그림과 일치하지 않으면 isn't 또는 aren't를 넣는다.

→ 1 리즈는 수의사이다. 그녀는 경찰관이 아니다. / 주어가 3인칭 단수 Liz(→ She)이므로 is와 isn't를 차례로 넣는다.
2 그 거북이는 느리다. 그것은 빠르지 않다. / 주어가 3인칭 단수 The turtle(→ It)이므로 is와 isn't를 차례로 넣는다.
3 제이크와 나는 요리사이다. 우리는 의사가 아니다. / Jake and I(→ We)는 복수 명사 주어이므로 are과 aren't를 차례로 넣는다.
4 그 접시들은 더럽다. 그것들은 깨끗하지 않다. / 주어가 복수 명사 The dishes(→ They)이므로 are과 aren't를 차례로 넣는다.

B 1 Is Justin 2 Are the puppies
3 Is the milk 4 Are those
5 Is the cup

→ be동사의 의문문은 주어와 be동사의 순서만 바꿔 주면 된다.

→ 1 저스틴은 가수이다. → 저스틴은 가수니?
2 그 강아지들은 갈색이다. → 그 강아지들은 갈색이니?
3 그 우유는 차갑다. → 그 우유는 차갑니?
4 저것은 그녀의 안경이다. → 저것은 그녀의 안경이니?
5 그 컵은 탁자 위에 있다. → 그 컵은 탁자 위에 있니?

C 1 Is, he isn't, is 2 Are, they are
3 Is, it isn't, is

→ 1 Q: 닉은 디자이너인가요? A: 아니요, 그렇지 않아요. 그는 제빵사예요.
2 Q: 그 고양이들은 상자 안에 있니? A: 응, 그래.
3 Q: 그 가방은 낡았니? A: 아니, 그렇지 않아. 그것은 새것이야.

D 1 Is his sister famous?
2 I am[I'm] not her classmate.
3 Are the vegetables fresh?
4 My aunt is not[isn't] a dentist.
5 Is the sweater in the drawer?

→ 1 그의 누나는 유명하니?
2 나는 그녀의 반 친구가 아니다.
3 그 채소들은 신선하니?
4 나의 이모는 치과의사가 아니다.
5 그 스웨터는 서랍 안에 있니?

Step 3 p.31

A 1 is 2 aren't 3 Are they, they aren't

→ 1 나의 오빠[형, 남동생]는 키가 크다. / 주어가 3인칭 단수 My brother(→ He)이므로 is가 알맞다.
2 그 지우개들은 내 것이 아니다. / 주어가 복수 명사 The erasers(→ They)이므로 aren't가 알맞다.
3 Q: 그들은 극장 안에 있니? A: 아니, 그렇지 않아.

B 1 Is, Is it his bag?
2 are, Your gloves are in the box.
3 is not[isn't], Ellen is not[isn't] a lawyer.

4 Are, Are the shoes expensive?

→ 1 be동사의 의문문이므로 be동사가 문장 맨 앞에 온다. 주어 it에 알맞은 be동사는 Is이다.

2 주어가 복수 명사 Your gloves(→ They)이므로 be동사 are가 와야 한다.

3 '~이 아니다'라는 의미는 be동사의 부정문으로 나타낸다. 주어가 3인칭 단수 Ellen(→ She)이므로 is not 또는 isn't가 알맞다.

4 의문문의 주어가 복수 명사 the shoes(→ they)이므로 문장 맨 앞에 오는 be동사는 Are이다.

UNIT 2 일반동사 현재형 긍정문

Step 2 p.33

A 1 walks 2 fix 3 flies 4 reads 5 have 6 teaches 7 cries 8 brushes

→ 3, 7 '자음+y'로 끝나는 동사는 y를 i로 고치고 -es를 붙인다.

4 주어가 3인칭 단수 My brother(→ He)이므로 동사 read 뒤에 -s를 붙여야 한다.

5 주어가 복수 명사 The students(→ They)이므로 동사원형 have가 알맞다.

6 -ch로 끝나는 동사의 3인칭 단수형은 뒤에 -es를 붙인다.

8 -sh로 끝나는 동사의 3인칭 단수형은 뒤에 -es를 붙인다.

B 1 clean 2 goes 3 play 4 studies 5 has 6 takes 7 watches

→ 1 마이크와 존은 집을 청소한다. / 주어가 복수 명사 Mike and John(→ They)이므로 동사원형 그대로 쓴다.

2 베티는 도서관에 간다. / 주어가 3인칭 단수 Betty(→ She)이고, go가 -o로 끝나는 동사이므로 뒤에 -es를 붙인다.

3 그 남자아이들은 방과 후에 축구를 한다. / 주어가 복수 명사 The boys(→ They)이므로 동사원형 그대로 쓴다.

4 올리버는 매일 수학을 공부한다. / 주어가 3인칭 단수 Oliver(→ He)이고, study가 '자음+y'로 끝나는 동사이므로 y를 i로 고치고 -es를 붙인다.

5 브라운 씨는 12시 30분에 점심을 먹는다. / 주어가 3인칭 단수 Ms. Brown(→ She)이므로 have의 3인칭 단수형 has를 쓴다.

6 내 아빠는 매일 산책을 하신다. / 주어가 3인칭 단수 My dad(→ He)이므로 동사 take 뒤에 -s를 붙인다.

7 내 할머니는 아침에 TV를 보신다. / 주어가 3인칭 단수 My grandmother(→ She)이고, watch가 -ch로 끝나는 동사이므로 뒤에 -es를 붙인다.

C 1 reads 2 plays 3 washes 4 bakes 5 watches 6 goes

→ 문장의 주어가 모두 3인칭 단수(Beth, Tony)이므로 시간표의 내용에 맞게 동사의 3인칭 단수형으로 고쳐 쓴다.

→ 1 베스는 월요일에 책을 읽는다.

2 토니는 월요일에 바이올린을 연주한다.

3 토니는 수요일에 설거지를 한다.

4 베스는 금요일에 쿠키를 굽는다.

5 베스는 토요일에 영화를 본다.

6 토니는 토요일에 도서관에 간다.

D 1 gets up 2 study 3 does

→ 1 케이트와 샘은 7시에 일어난다. → 샘은 7시에 일어난다. / 주어가 3인칭 단수 Sam(→ He)이므로 get 뒤에 -s를 붙인다.

2 라이언은 한국어를 공부한다. → 라이언과 팀은 한국어를 공부한다. / 주어가 복수 명사 Ryan and Tim(→ They)이므로 3인칭 단수형 studies를 동사원형 study로 바꿔 쓴다.

3 대니와 주디는 방과 후에 숙제를 한다. → 주디는 방과 후에 숙제를 한다. / 주어가 3인칭 단수 Judy(→ She)이므로 do 뒤에 -es를 붙인다.

Step 3 p.35

A 1 studies 2 enjoys 3 lives 4 misses 5 watches

→ 1 알렉스는 역사를 공부한다.
2 그 남자는 영화를 즐긴다. / enjoy는 '모음+y'로 끝나는 동사이므로, 뒤에 -s만 붙인다.
3 내 삼촌은 부산에 사신다.
4 그녀는 그녀의 할머니를 그리워한다. / miss는 -s로 끝나는 동사이므로 뒤에 -es를 붙인다.
5 내 엄마는 뉴스를 보신다.

B 1 have, The students have lunch at 12.
2 flies, The bird flies in the sky.
3 rides, My sister rides her bike every day.

→ 2 주어가 3인칭 단수 The bird(→ It)이고, fly가 '자음+y'로 끝나는 동사이므로 y를 i로 고치고 -es를 붙인다.

UNIT 3 일반동사 현재형 부정문/의문문

Step 2 p.37

A 1 do not remember 2 does not like 3 do not speak 4 does not clean 5 does not play

→ 일반동사의 부정문은 「do/does+not+동사원형」으로 나타낸다.

→ 2, 4, 5 주어가 3인칭 단수이므로 does를 쓴다.
3 주어가 복수 명사 The girls(→ They)이므로 do를 쓴다.

→ 1 우리는 그의 이름을 기억하지 않는다.
2 나의 할머니는 사탕을 좋아하시지 않는다.
3 그 여자아이들은 일본어를 하지 않는다.
4 나의 오빠는 그의 방을 청소하지 않는다.
5 제니는 컴퓨터 게임을 하지 않는다.

B 1 Does, have 2 Do, eat 3 Does, go 4 Do, live

→ 일반동사의 의문문은 「Do/Does+주어+동사원형 ~?」으로 나타낸다.

→ 1, 3 주어가 3인칭 단수이므로 Does를 쓴다.
4 주어가 복수 명사 Kevin and David(→ They)이므로 Do를 쓴다.

→ 1 엠마는 오늘 수학 시험이 있니?
2 그들은 매일 아침을 먹니?
3 그의 아빠는 매일 체육관에 가시니?
4 케빈과 데이비드는 뉴욕에 사니?

C 1 Does, have, he doesn't
2 Do, go, they do
3 Does, play, she doesn't

→ 1 Q: 샘은 7시 30분에 아침을 먹니? A: 아니, 그렇지 않아. / 주어가 3인칭 단수 Sam이므로 Does로 시작하며, 대답할 때 알맞은 대명사 he로 바꾸어 쓴다.
2 Q: 엘리와 샘은 8시에 학교에 가니? A: 응, 그래. / 주어가 복수 명사 Elly and Sam이므로 Do로 시작하며, 대답할 때 알맞은 대명사 they로 바꿔 쓴다.
3 Q: 엘리는 2시에 농구를 하니? A: 아니, 그렇지 않아. / 주어가 3인칭 단수 Elly이므로 Does로 시작하며, 대답할 때 알맞은 대명사 she로 바꾸어 쓴다.

D 1 Does Andrew come
2 We do not[don't] have
3 Jenny does not[doesn't] like
4 Does Mr. Watson teach

→ 1, 4 주어가 3인칭 단수이므로 Does로 시작하며, 주어 뒤에는 동사원형으로 바꿔 쓴다.

→ 1 앤드류는 2시에 집에 오니?
2 우리는 오늘 수학 수업이 있지 않다.
3 제니는 토마토를 좋아하지 않는다.
4 왓슨 씨는 음악을 가르치니?

Step 3 p.39

A 1 doesn't 2 Does 3 like 4 don't 5 have

→ 1 샐리는 학교에 걸어가지 않는다.
2 네 여동생[언니, 누나]은 미술을 좋아하니?
3 그는 아이스크림을 좋아하지 않는다. / 일반동사의 부정문에서 주어 뒤에는 항상 동사원형이 온다.
4 우리는 프랑스어를 하지 않는다.
5 그것은 이빨이 있니? / 일반동사의 의문문에서 주어 뒤에는 항상 동사원형이 온다.

B 1 Does, Does Karen work at the bookstore?
2 does not[doesn't], Nick does not[doesn't] live in Seoul.
3 Do, Do your friends play board games?

→ 1 의문문의 주어가 3인칭 단수 Karen(→ She)이므로 Does로 시작한다.
2 '~하지 않다'는 일반동사의 부정문으로 나타낸다. 주어가 3인칭 단수 Nick(→ He)이므로 주어 뒤에 does not 또는 doesn't로 쓴다.
3 의문문의 주어가 복수 명사 your friends (→ they)이므로 Do로 시작한다.

CHAPTER EXERCISE

CHAPTER 2 p.40

01 ② 02 ④ 03 ③ 04 ④
05 is, isn't 06 are, aren't 07 isn't
08 Are 09 has 10 don't 11 doesn't
12 Are 13 Are the apples sweet?
14 James is not[isn't] a painter.
15 Does Nate live in the city?
16 she isn't 17 they do 18 go
19 finishes 20 aren't

01 · 그 남자는 키가 크다. · 그녀의 장갑은 새것이다. / 주어가 3인칭 단수 The man(→ He)일 때는 is, 복수 명사 Her gloves(→ They)일 때는 are를 쓴다.
02 너의 오빠[형, 남동생]는 안경을 쓰니? / 주어 뒤에 동사원형 wear가 오므로 일반동사의 의문문이다. 주어가 3인칭 단수 your brother(→ he)이므로 Does로 시작한다.
03 ________는 학생이 아니다. ① 그들 ② 우리 ③ 나의 언니[누나, 여동생] ④ 마이크와 제이 / 빈칸 뒤에 isn't가 있으므로 주어는 3인칭 단수여야 한다.
04 ① 레이첼은 그녀의 개를 산책시킨다. ② 그것은 긴 목을 가지고 있다. ③ 앤디는 과학을 공부한다. ④ 내 남동생[형, 오빠]은 계속 집에 있다. / ① 주어가 3인칭 단수 Rachel(→ She)이므로 walk 뒤에 -s를 붙인다. ② have의 3인칭 단수형은 has이다. ③ '자음+y'로 끝나는 동사이므로 y를 i로 고치고 -es를 붙인다. ④ stay는 '모음+y'로 끝나는 동사이므로 뒤에 -s만 붙인다.
05 마틴 씨는 과학자이다. 그녀는 기자가 아니다.
06 코끼리들은 크다. 그것들은 작지 않다.
07 그 반지는 그녀의 것이 아니다.
08 그들은 네 친구들이니? / 주어 your friends 뒤에 동사원형이 없으므로 일반동사의 의문문이 될 수 없다.
09 그 여자는 여행 가방을 가지고 있다.
10 피터와 테드는 골프를 치지 않는다.
11 · 수지는 고기를 좋아하지 않는다. · 그 남자는 영어를 하지 않는다. / 두 문장의 주어가 모두 3인칭 단수 Suji(→ She), The man(→ He)이고, 빈칸 뒤에 동사원형이 오므로 일반동사의 부정문을 만드는 doesn't가 알맞다.
12 · 너[너희들]는 목이 마르니? · 그 여자아이들은 교실 안에 있니?
13 그 사과들은 달콤하다. → 그 사과들은 달콤하니?
14 제임스는 화가이다. → 제임스는 화가가 아니다.
15 네이트는 도시에 산다. → 네이트는 도시에 사니?
16 Q: 에밀리는 소방관인가요? A: 아니요, 그렇지 않아요. 그녀는 비행기 조종사예요.
17 Q: 벤과 제이크는 학교에 걸어가니? A: 응, 그래. / 주어가 복수 명사 Ben and Jake이므로 대답할 때 대명사 they로 바꿔 쓴다.
18 일반동사의 의문문에서 주어 뒤에는 항상 동사원형이 온다.

19 -sh로 끝나는 동사의 3인칭 단수형은 동사 뒤에 -es를 붙인다.

20 주어가 복수 명사 The books(→ They)이므로 aren't로 고쳐야 한다.

REVIEW

CHAPTER 1-2 p.42

A 1 are 2 am not 3 That 4 Does 5 pencils

B 1 Your 2 is 3 him 4 flies 5 has

C 1 These are 2 She 3 don't

A 1 내 형[남동생, 오빠]과 나는 쌍둥이이다. / I를 포함한 주어는 We를 의미하므로 are가 와야 한다.

2 나는 욕실에 있지 않다. / am not은 줄여 쓸 수 없다.

3 저것은 박물관이다. / 뒤에 is와 단수 명사가 오므로 가리키는 대상이 한 개인 That이 알맞다.

4 네 언니[누나, 여동생]는 안경을 쓰니?

5 이것들은 내 연필들이다. / 여럿을 가리키는 There are 뒤에는 복수 명사가 온다.

B 1 뒤에 명사 friends가 오므로 '너의'에 해당하는 소유격 대명사로 고쳐 쓴다.

3 동사 like의 목적어 자리이므로 '그를'에 해당하는 목적격 대명사로 고쳐 쓴다.

C 1 뒤에 복수 명사 her children이 오므로 여럿을 가리키는 These are로 고쳐야 한다.

2 동사 앞 주어 자리이므로 주격 대명사로 고쳐 쓴다.

3 주어가 복수 명사 My friends(→ They)이므로 don't가 와야 한다.

CHAPTER 3 현재진행형

UNIT 1 현재진행형의 긍정문

Step 2 p.45

A 1 watching 2 sitting 3 buying 4 moving 5 drawing 6 riding 7 swimming 8 living 9 crying 10 coming 11 walking 12 running

→ 1, 3, 5, 9, 11 대부분의 동사는 동사원형 뒤에 ing를 붙인다.

2, 7, 12 '모음 1개+자음 1개'로 끝나는 동사는 마지막 자음을 한 번 더 쓰고 ing를 붙인다.

4, 6, 8, 10 -e로 끝나는 동사는 e를 빼고 ing를 붙인다.

B 1 am, driving 2 are, cutting 3 is, flying 4 is, winning 5 are, cleaning 6 is, taking 7 are, making 8 is, eating

→ '~하고 있다'라는 의미는 현재진행형 「be동사의 현재형+동사의 -ing형」으로 나타낸다.

→ 2 The men(→ They)은 복수 명사이므로 뒤에 be동사 are가 온다.
3 A kite(→ It)는 단수 명사이므로 뒤에 be동사 is가 온다.
5, 8 동사 clean, eat은 '모음 1개+자음 1개'로 끝나는 동사가 아니므로 뒤에 ing만 붙인다.

C 1 is drinking 2 is running
3 are working 4 is wearing
5 are dancing

D 1 am studying 2 are sitting
3 is writing 4 are playing
5 is taking

Step 3 p.47

A 1 holding 2 is singing 3 washing
4 is cutting 5 are dancing

→ 1 그는 풍선을 들고 있다. / He's는 He is의 줄임말이므로 뒤에 동사의 -ing형이 오는 현재진행형 문장이 되어야 알맞다.
2 그 여자아이는 노래를 부르고 있다. / 주어 The girl 뒤에 동사가 필요하므로 「be동사+동사의 -ing형」이 와야 한다.
3 그녀는 그녀의 차를 세차하고 있다.
4 켄은 케이크를 자르고 있다. / 동사 cut은 '모음 1개+자음 1개'로 끝나므로 마지막 자음 t를 한 번 더 쓰고 ing를 붙인 cutting이 알맞다.
5 존과 나는 춤추고 있다. / 주어가 복수 명사 John and I(→ We)이므로 be동사는 are가 알맞다.

B 1 is sitting, The bee is sitting on the flower.
2 am going, I am going to the library.
3 are riding, My brother and I are riding our bikes.

→ 1 주어가 단수 명사 The bee(→ It)이므로 be동사는 is를 쓰고, 동사 sit은 마지막 자음 t를 한 번 더 쓰고 ing를 붙여 쓴다.
3 주어가 복수 명사 My brother and I(→ We)이므로 be동사는 are를 쓰고, 동사 ride는 e를 빼고 ing를 붙여 쓴다.

UNIT 2 현재진행형의 부정문과 의문문

Step 2 p.49

A 1 is not cooking 2 are not smiling
3 is not cutting 4 Is he cleaning
5 Are the kids making

→ 1 그녀는 저녁을 요리하고 있지 않다.
2 그들은 미소 짓고 있지 않다.
3 내 남동생은 종이를 자르고 있지 않다.
4 그는 그의 방을 청소하고 있니?
5 그 아이들은 눈사람을 만들고 있니?

B 1 Are 2 am not 3 taking
4 Is 5 is not 6 wearing
7 isn't, sitting 8 Are, swimming

→ 1 너는 수학을 공부하고 있니? / 주어 you 뒤에 동사의 -ing형이 오므로 현재진행형을 만드는 be동사 Are가 알맞다.
2 나는 TV를 보고 있지 않다. / be동사 바로 뒤에 not이 와야 한다.
3 그는 샤워를 하고 있지 않다. / 앞에 'be동사+not'의 줄임형 isn't가 있으므로 현재진행형을 만드는 동사의 -ing형이 알맞다.
4 그 말은 달리고 있니?
5 스콧은 편지를 쓰고 있지 않다.
6 그들은 안전벨트를 매고 있니?
7 엄마는 침대에 앉아 계시지 않다. / 3인칭 단수 주어 My mother(→ She) 뒤에는 be동사 is가 오므로 is not의 줄임말 isn't가 알맞다. 동사 sit은 마지막 자음 t를 한 번 더 쓰고 -ing를 붙인다.
8 그 개들은 수영장에서 수영하고 있니?

C 1 isn't playing, is playing
2 isn't[is not] eating, is eating

3 aren't[are not] carrying, are carrying
4 isn't[is not] hiding, is hiding

→ 1 내 남동생[형, 오빠]은 플루트를 연주하고 있지 않다. 그는 드럼을 치고 있다.
2 그 코알라는 당근을 먹고 있지 않다. 그것은 나뭇잎을 먹고 있다.
3 짐과 테드는 상자를 나르고 있지 않다. 그들은 바구니를 나르고 있다.
4 신디는 침대 아래에 숨어 있지 않다. 그녀는 식탁 아래에 숨어 있다.

D 1 Are, flying, I am
2 Is, cutting, she isn't
3 Is, washing, he isn't
4 Are, sleeping, they are

→ 1 Q: 너는 연을 날리고 있니? A: 응, 그래.
2 Q: 그녀는 빵을 자르고 있니? A: 아니, 그렇지 않아.
3 Q: 브라이언은 그의 차를 세차하고 있니? A: 아니, 그렇지 않아. / 대답할 때 의문문의 주어 Brian을 알맞은 대명사 he로 바꾸어 대답해야 한다.
4 Q: 네 고양이들은 침대 위에서 자고 있니? A: 응, 그래. / 대답할 때 의문문의 주어 your cats를 알맞은 대명사 they로 바꾸어 대답해야 한다.

Step 3 p.51

A 1 not riding 2 isn't sitting
3 baking 4 climbing

→ 1 그녀는 자전거를 타고 있지 않다.
2 아빠는 소파에 앉아 계시지 않는다.
3 에이미는 파이를 굽고 있니? / 주어 앞에 be동사가 있으므로 주어 뒤에는 현재진행형을 만드는 동사의 -ing형이 와야 한다.
4 그들은 산에 오르고 있니?

B 1 isn't reading, My sister isn't reading a newspaper.
2 using, Is Susie using my computer?
3 aren't[are not] walking, My friends aren't[are not] walking to school.

→ 2 동사 use는 -e로 끝나는 동사이므로 e를 빼고 ing를 붙인다.
3 동사 run은 '모음 1개+자음 1개'로 끝나므로 마지막 자음 n을 한 번 더 쓰고 ing를 붙인다.

CHAPTER EXERCISE

CHAPTER 3 p.52

01 ② 02 ④ 03 is, watching
04 am not, driving 05 isn't, running
06 riding, they 07 ④
08 are reading 09 is not barking
10 Are, winning 11 is not taking
12 ④ 13 are baking
14 aren't swimming
15 Is, sleeping, it is 16 ② 17 ②
18 ④ 19 Is 20 isn't

01 ② come은 -e로 끝나는 동사이므로 e를 없애고 ing를 붙인다.
02 ④ put은 '모음 1개+자음 1개'로 끝나므로 마지막 자음 t를 한 번 더 쓰고 ing를 붙인다.
03 그는 영화를 보고 있다.
04 나는 차를 운전하고 있지 않다.
05 샘은 운동장에서 달리고 있지 않다.
06 Q: 폴과 닉은 자전거를 타고 있니? A: 아니, 그렇지 않아.
07 · 제임스는 안경을 쓰고 있지 않다. · 그 남자아이들은 배드민턴을 치고 있니?
10 동사 win은 '모음 1개+자음 1개'로 끝나므로 마지막 자음 n을 한 번 더 쓰고 ing를 붙인다.
12 ① 그녀는 공부하고 있니? ② 그 아기는 울고 있니? ③ 그는 드럼을 치고 있다. ④ 네 형[오빠, 남동생]들은 춤을 추고 있니? / ④ 주어는 복수 명사 your brothers(→ they)이므로 be동사 Are가

들어간다. 나머지 주어는 모두 3인칭 단수이므로 Is[is]가 들어간다.

13 엄마와 나는 케이크를 굽고 있다.

14 그들은 바다에서 수영하고 있지 않다.

15 Q: 그 양은 자고 있니? A: 응, 그래. / 대답할 때 의문문의 주어 the sheep을 알맞은 대명사 it으로 바꾸어 대답해야 한다.

16 ① 그 남자는 가방을 들고 있다. ② 나는 지도를 보고 있다. ③ 그들은 공원에 앉아 있다. ④ 우리는 지금 학교에 가고 있다. / ① carry의 -ing형은 뒤에 ing만 붙인다. ③ sit의 -ing형은 마지막 자음 t를 한 번 더 쓰고 ing를 붙인다. ④ 올바른 현재진행형 문장이 되려면 동사 go를 -ing형인 going으로 고쳐야 한다.

17 ① 나는 점심을 먹고 있지 않다. ② 그들은 과학을 공부하고 있지 않다. ③ 그 나뭇잎들은 떨어지고 있지 않다. ④ 린다는 옷을 사고 있지 않다. / ② 올바른 현재진행형 부정문이 되려면 주어 뒤에 'be동사+not'인 are not 또는 aren't가 필요하다.

18 ① 브라이언은 집에 오고 있니? ② 그들은 거리를 청소하고 있니? ③ 그는 이를 닦고 있니? ④ 네 엄마는 지금 일하고 계시니? / ④ 의문문의 주어가 3인칭 단수 your mom(→ she)이므로 be동사는 Is가 와야 한다.

[19~20] Q: 네 아빠는 설거지를 하고 계시니?
A: 아니, 그렇지 않아.

19 주어 your dad 뒤에 동사의 -ing형이 오므로 현재진행형을 만드는 be동사 Is로 고쳐야 한다.

20 No로 대답하고 있으므로 부정형 isn't로 고쳐야 한다.

REVIEW

CHAPTER 2-3 p.54

A 1 are 2 doesn't 3 isn't 4 have

B 1 run 2 are running 3 studies
4 is studying 5 watches
6 is watching

C 1 drinking 2 Is 3 have

A
1 저것은 내 안경이다.
2 레이첼은 벌레를 좋아하지 않는다.
3 그녀의 언니[여동생]는 부엌에 있지 않다.
4 그렉과 제인은 학교에서 점심을 먹는다.

B
1, 3, 5 '~하다'는 일반동사의 현재형으로 나타낸다.
2, 4, 6 '~하고 있다'는 「be동사의 현재형+동사의 -ing형」으로 나타낸다.
1 주어가 They이므로 동사 run의 모양은 바뀌지 않는다.
2 run의 -ing형은 마지막 자음 n을 한 번 더 쓰고 ing를 붙인다.
3 주어가 3인칭 단수 Jason(→ He)이므로 3인칭 단수형 동사가 와야 한다. study는 -y로 끝나는 동사이므로 y를 i로 고치고 -es를 붙인다.
4 study의 -ing형은 뒤에 ing만 붙인다.
5 주어가 3인칭 단수 Sena(→ She)이므로 3인칭 단수형 동사가 와야 한다. watch는 -ch로 끝나는 동사이므로 뒤에 -es를 붙인다.
6 watch의 -ing형은 뒤에 ing만 붙인다.

C
1 그 아이는 물을 마시고 있다. / 주어 뒤에 be동사의 현재형 is가 있으므로 현재진행형을 만드는 동사의 -ing형으로 고치는 것이 알맞다.
2 네 누나[언니, 여동생]는 친절하니? / 의문문의 주어가 3인칭 단수 your sister(→ she)이므로 의문문의 be동사는 Is가 되어야 한다.
3 그는 공책을 가지고 있니? / 일반동사의 의문문에서 주어 뒤에는 항상 동사원형이 와야 한다.

숫자 표현과 비인칭 주어 it

UNIT 1 기수와 서수

Step 2 p.57

A 1 fourth 2 seven 3 second
4 eight 5 twelfth 6 twenty-one
7 thirty 8 fifth 9 eleven
10 two 11 tenth 12 thirteen

B 1 ninetieth 2 fifth 3 twelfth
4 third 5 ninth 6 fortieth
7 eighth 8 thirty-second
9 fifty-first 10 seventy-ninth

→ 1, 6 기수가 -ty로 끝나면 y를 ie로 바꾸고 -th를 붙인다.
4, 8, 9 1, 2, 3의 서수는 뒤에 -th가 붙지 않고 first, second, third로 불규칙하게 바뀐다.

C 1 first 2 fourth 3 twentieth
4 four 5 twenty 6 one

→ 2 날짜의 '~일'은 서수로 나타낸다.
3 '스무번 째' 층을 뜻하므로 서수로 나타낸다.

Step 3 p.59

A 1 twelfth 2 nine 3 two
4 forty 5 seventh

→ 1 3월 12일이다.
2 그는 아홉 살이다.
3 나는 연필 두 개가 필요하다.
4 그녀는 40달러를 가지고 있다.
5 7월은 일곱 번째 달이다.

B 1 fifth, Our classroom is on the fifth floor.
2 eight, Spiders have eight legs.
3 sixth, We are in the sixth grade.

→ 2 개수를 나타내는 기수 eight이 알맞다.
3 '여섯 번째' 학년을 뜻하므로 서수로 나타낸다.

UNIT 2 숫자 표현

Step 2 p.61

A 1 forty-five 2 five twenty
3 thirty years old
4 two thousand twenty
5 half past eleven 6 April tenth
7 ten o'clock 8 five hundred
9 nine forty p.m. 10 dollars, cents

→ 2 시각은 시와 분 모두 기수로 나타낸다.
3 두 살 이상이면 year 뒤에 s를 꼭 붙여야 한다.
5 11시 30분은 '11시를 지난 30분'을 뜻하므로 past 뒤에 eleven이 와야 한다.
6 날짜는 '월-일' 순서로 쓴다.
8 thousand는 1,000(천)을 뜻하므로 hundred(백)가 알맞다.
9 a.m.은 오전, p.m.은 오후를 뜻하므로 p.m.이 알맞다.

B 1 thousand 2 years 3 seventh
4 seventeen 5 half 6 hundred
7 thousand, hundred 8 seventeen

→ 1 2000년 이후의 연도는 끊어 읽지 않고, 단위 (thousand)를 포함해서 읽는다.
3 날짜의 '~일'은 서수로 나타낸다.
4 연도는 두 자리씩 끊어 읽으므로 17에 해당하는 seventeen이 알맞다.
5 30분은 half(= thirty)로 나타낼 수 있다.
8 숫자는 뒤에서 세 자리씩 끊어 읽으므로 thousand 앞에는 17에 해당하는 seventeen이 알맞다.

C 1 thirty-five 2 fifth 3 o'clock
4 dollar 5 six 6 years
7 seven 8 twenty

→ 1, 5 시각을 나타내는 숫자 표현은 기수를 사용한다.
4 1달러이므로 dollar 뒤에 s가 붙지 않는다.
7 7시 30분은 '7시를 지난 30분'을 뜻하므로 past 뒤에 seven이 와야 한다. half past six는 6시 30분을 뜻한다.
8 돈을 나타내는 숫자 표현은 기수를 사용한다.

D 1 10, 10 2 13 3 12, 30
4 1988 5 23 6 5,963
7 65, 99 8 2050 9 13,146

Step 3 p.63

A 1 forty 2 first 3 thirty-five

→ 1 오후 2시 40분이다.
2 1월 1일이다.
3 그 표는 35달러이다.

B 1 twenty-second, His birthday is October twenty-second.
2 fifteen, She has five dollars and fifteen cents.
3 twenty-two, Next year is two thousand twenty-two.
4 fifteen, The number is fifteen thousand sixty-nine.

→ 1 날짜의 '~일'은 서수로 나타내므로 22의 서수 twenty-second가 알맞다.
3 2000년 이후의 연도는 끊어 읽지 않고, 단위 (thousand)를 포함해서 읽는다.
4 숫자는 뒤에서 세 자리씩 끊어 읽으므로 thousand 앞에는 15에 해당하는 fifteen이 알맞다.

UNIT 3 비인칭 주어 it

Step 2 p.65

A 1 ② 2 ① 3 ② 4 ② 5 ① 6 ②
7 ① 8 ② 9 ① 10 ②

→ 1 7월 10일이다.
2 그것은 그녀의 자전거이다.
3 비가 내리고 춥다.
4 2월 14일이다.
5 그것은 내 지갑이 아니다.
6 목요일이다.
7 그것은 내가 가장 좋아하는 책이다.
8 여기서 5킬로미터 거리이다.
9 그것은 내 책상 위에 있다.
10 11시 정각이다.

B 1 Tuesday 2 5 o'clock
3 October 25th 4 rainy
5 3 kilometers 6 100 meters

C 1 July 10th, 7월 10일이야.
2 sunny, 화창해.
3 Wednesday, 수요일이야.
4 4:35, 4시 35분이야.
5 August 2nd, 8월 2일이야.

→ 비인칭 주어 It은 뜻이 없으므로 '그것'으로 해석하지 않는다.

→ 1 Q: 오늘은 며칠이니?
2 Q: 날씨가 어떠니?
3 Q: 오늘은 무슨 요일이니?
4 Q: 지금 몇 시니?
5 Q: 오늘은 며칠이니?

D 1 It, Monday 2 It, February 5th
3 It, 9 o'clock 4 It, snowy
5 It, 10 kilometers

→ 요일, 날짜, 시각, 날씨, 거리 등을 나타낼 때 주어 자리에는 비인칭 주어 It을 쓴다.

→ 1 Q: 오늘은 무슨 요일이니? A: 월요일이야.
2 Q: 오늘은 며칠이니? A: 2월 5일이야.
3 Q: 몇 시니? A: 9시 정각이야.
4 Q: 날씨가 어떠니? A: 눈이 내려.
5 Q: 얼마나 멀어? A: 10킬로미터 거리야.

Step 3 p.67

A 1 It 2 It's 3 5 kilometers
4 March 21st

→ 1 흐려. / 날씨를 나타낼 때 주어는 비인칭 주어 It을 쓴다.
2 목요일이다. / 요일을 나타낼 때 주어는 비인칭 주어 It을 쓴다. It's는 It is의 줄임말이다.
3 Q: 얼마나 멀어? A: 5킬로미터 거리야.
4 Q: 오늘은 며칠이니? A: 3월 21일이야.

B 1 Friday, It is Friday today.
2 It, It is nine twenty-five.
3 It is[It's], It is[It's] 300 meters to the school.

CHAPTER EXERCISE

CHAPTER 4 p.68

01 ④ 02 ③ 03 ④ 04 ④ 05 ②
06 It 07 eleven 08 ③ 09 ②
10 weather, It 11 time, half 12 it
13 ③ 14 nine years
15 two hundred dollars 16 ④
17 twenty 18 nine 19 second
20 It

01 ④ thirty의 서수는 y를 ie로 바꾸고 -th를 붙인 thirtieth이다.
02 ③ twelve의 서수는 ve를 f로 바꾸고 -th를 붙인 twelfth이다.
03 학교 첫째 날이다. / ④ '첫 번째' 날이므로 서수를 쓰며, 서수 앞에는 the가 붙는다.
04 그녀는 책 세 권을 가지고 있다. / ④ 개수를 나타내므로 기수로 쓴다.
05 나는 5학년이다. / ② 학년을 나타낼 때는 서수를 쓰며, 서수 앞에는 the가 붙는다.
06 화창하고 따뜻하다. / 날씨를 나타낼 때 주어는 비인칭 주어 It을 사용한다.
07 내 형[오빠, 남동생]은 11살이다. / 나이를 말할 때는 기수를 쓴다.
08 날짜는 '월-일-연도'의 순서로 쓴다. '~일'은 서수로 쓰고, 연도는 기수로 쓴다.
09 ① 여기서 멀다. ② 그것은 작은 고양이다. ③ 몇 시니? ④ 오늘은 따뜻하지 않다. / ② It은 동물을 가리키며, '그것'을 뜻하는 인칭대명사이다. 나머지 It[it]은 뜻이 없는 비인칭 주어이다.
10 Q: 날씨가 어떠니? A: 흐려. / 날씨가 어떤지 답하고 있으므로 날씨를 묻는 질문이 되어야 하며, 비인칭 주어 It으로 답한다.
11 Q: 몇 시니? A: 4시 30분이야. / past four는 '4시가 지난'이라는 뜻이므로 앞에는 30분을 나타내는 half가 알맞다. 시각이 어떤지 답하고 있으므로 시각을 묻는 질문으로 완성한다.
12 Q: 얼마나 멀어? A: 30킬로미터 거리야.
13 ① 그녀의 셋째 아들은 군인이다. ② 오늘은 내 열두 번째 생일이다. ③ 나는 14층에 산다. ④ 9월은 1년 중 아홉 번째 달이다. / ③ 층을 말할 때는 서수를 쓰므로 fourteenth로 고쳐야 한다.
14 두 살 이상이므로 year 뒤에 s를 붙인다.
15 2달러 이상이므로 dollar 뒤에 s를 붙인다. hundred는 숫자와 함께 쓸 때 뒤에 s를 붙이지 않는다.
16 ④ 60이므로 six를 sixty로 고쳐야 한다.
17 개수를 말할 때는 기수를 쓴다.
18 9시 30분은 '9시를 지난 30분'이므로 past 뒤에

nine이 와야 한다.

19 '두 번째'를 뜻하는 서수가 와야 한다.

20 날짜를 나타낼 때는 비인칭 주어 It을 쓴다.

REVIEW

CHAPTER 3-4 **p.70**

A 1 three 2 It 3 Are you writing
4 second 5 aren't listening

B 1 is making 2 is not playing
3 It is August fourth
4 fifteen dollars

C 1 twenty-one 2 watching 3 It

A 1 나는 지우개 세 개가 있다.
2 100미터야.
3 너는 이메일을 쓰고 있니? / 주어 you 뒤에 동사의 -ing형이 있으므로 현재진행형의 의문문이 되도록 Are로 시작하는 것이 알맞다.
4 데이브는 그의 둘째 딸을 만나고 있다. / '두 번째' 딸이므로 서수가 알맞다.
5 우리는 음악을 듣고 있지 않다. / 현재진행형의 부정문은 「be동사의 현재형+not+동사의 -ing형」으로 쓴다. aren't는 are not의 줄임말이다.

B 1 '~하고 있다'는 현재진행형의 긍정문 「be동사의 현재형+동사의 -ing형」으로 나타낸다. 동사 make의 -ing형은 e를 지우고 뒤에 ing를 붙인다.
2 '~하고 있지 않다'는 현재진행형의 부정문 「be동사의 현재형+not+동사의 -ing형」으로 나타낸다.
3 날짜는 주어 자리에 비인칭 주어 It을 쓰고 '월-일'의 순서로 쓴다. '~일'은 서수로 나타내므로 four 뒤에 th를 붙인다.
4 2달러 이상이므로 dollar 뒤에 s를 붙인다.

C 1 나는 21달러가 있다. / 돈은 기수로 나타낸다.
2 내 남동생[오빠, 형]들은 TV를 보고 있지 않다. / aren't 뒤에 일반동사의 원형이 올 수 없으므로 watching으로 바꿔 현재진행형 문장으로 고친다.
3 비가 오고 춥다. / 날씨를 나타낼 때는 비인칭 주어 It을 쓴다.

의문사 의문문

UNIT 1 의문사 + be동사 의문문

Step 2 **p.73**

A 1 Where 2 Who 3 When
4 What 5 Where 6 What
7 What 8 How

B 1 Who are 2 How is 3 Where is
4 When is 5 What are 6 Where is
7 What is 8 Who are

→ be동사는 빈칸 뒤에 오는 주어에 맞게 쓴다.

→ 1 주어 the girls(→ they)는 복수 명사이므로 are를 앞에 쓴다.
2 주어 your school(→ it)은 단수 명사이므로 is

를 앞에 쓴다.

3 주어 my scarf(→ it)는 단수 명사이므로 is를 앞에 쓴다.

4 주어 your birthday(→ it)는 단수 명사이므로 is를 앞에 쓴다.

5 주어 the kids(→ they)는 복수 명사이므로 are를 앞에 쓴다.

6 주어 the museum(→ it)은 단수 명사이므로 is를 앞에 쓴다.

7 주어 her job(→ it)은 단수 명사이므로 is를 앞에 쓴다.

8 주어 your best friends(→ they)는 복수 명사이므로 are를 앞에 쓴다.

C 1 How 2 What 3 When 4 How 5 Where 6 Who 7 What

→ 1 Q: 날씨가 어떠니? A: 화창해.

2 Q: 이것은 무엇이니? A: 그것은 달력이야.

3 Q: 어린이날은 언제니? A: 5월 5일이야.

4 Q: 네 새집은 어떠니? A: 좋아.

5 Q: 내 안경은 어디에 있니? A: 그것은 책상 위에 있어.

6 Q: 그 남자는 누구니? A: 그는 내 선생님이셔.

7 Q: 너는 뭐 하고 있니? A: 나는 책을 읽고 있어.

D 1 When 2 Who 3 Where 4 are 5 How 6 are the children

→ 1 Q: 그 파티는 언제니? A: 토요일이야.

2 Q: 그 여자아이는 누구니? A: 그녀는 내 사촌이야.

3 Q: 그 접시들은 어디에 있니? A: 그것들은 부엌에 있어.

4 Q: 저것들은 무엇이니? A: 그것들은 네 책들이야. / 의문문의 주어가 those(저것들)이므로 are가 와야 한다.

5 Q: 네 할머니는 어떠시니? A: 잘 지내셔. / 안부를 물을 때 사용하는 의문사는 How이다.

6 Q: 그 아이들은 무엇을 만들고 있니? A: 그들은 쿠키를 만들고 있어. / 「What+be동사+주어+동사의 -ing형?」의 순서가 되어야 한다.

Step 3 **p.75**

A 1 Where are 2 What are 3 Who is 4 is Jane

→ 1 Q: 내 양말은 어디에 있니? A: 그것은 서랍 안에 있어. / 장소를 대답하고 있으므로 의문사 Where로 묻는다.

2 Q: 이것들은 무엇이니? A: 그것들은 내 새 신발이야. / these가 무엇인지 대답하고 있으므로 의문사 What으로 묻는다.

3 Q: 그 남자는 누구니? A: 그는 내 삼촌이야. / the man이 누구인지 대답하고 있으므로 의문사 Who로 묻는다.

4 Q: 제인은 무엇을 공부하고 있니? A: 그녀는 수학을 공부하고 있어. / 의문사 What이 있는 현재진행형 의문문에서도 be동사 바로 뒤에 주어가 온다.

B 1 When is, When is his birthday?

2 How is[How's], How is[How's] your sister?

3 What are, What are your friends eating?

→ 1 '언제'에 해당하는 의문사 When 뒤에는 단수 명사 주어 his birthday(→ it)에 맞도록 is를 쓴다. 「When+be동사+주어?」의 순서에 맞게 쓰면 된다.

2 '어떻게'에 해당하는 의문사 How 뒤에는 3인칭 단수 주어 your sister(→ she)에 맞도록 is를 쓴다. 「How+be동사+주어?」의 순서에 맞게 쓰면 된다. How is는 How's로 줄여 쓸 수 있다.

3 '무엇을 ~하고 있니?'라는 의미의 의문사 What이 쓰인 현재진행형의 의문문이므로 「What+be동사+주어+동사의 -ing형?」의 순서에 맞게 문장을 만든다. 주어는 복수 명사 your friends(→ they)이므로 be동사는 are를 쓴다.

UNIT 2 의문사 + 일반동사 의문문

Step 2 p.77

A 1 does 2 do 3 go 4 do 5 play 6 do

→ 1, 2, 4 주어 뒤에 동사원형이 오므로 「의문사+do/does+주어+동사원형 ~?」 형태가 되어야 한다.

3, 5, 6 의문사가 있는 일반동사 의문문에서도 주어 뒤에는 항상 동사원형이 온다.

B 1 What does 2 When do 3 What does 4 Where does 5 How do

→ 1, 3, 4 주어가 3인칭 단수이므로 의문사 뒤에 does를 쓴다.

C 1 does 2 go 3 do 4 make

→ 1 그녀는 무엇을 원하니? / 주어가 3인칭 단수 she이므로 does가 알맞다.

2 그 남자는 어디에 가니? / 의문사가 있는 일반동사 의문문에서도 주어 뒤에는 항상 동사원형이 온다.

3 너는 언제 숙제를 하니? / 주어가 you이므로 do가 알맞다.

4 네 언니[누나, 여동생]는 어떻게 파스타를 만드니?

D 1 What does, do 2 How do, go 3 Where does, cook 4 What do, read 5 What do, eat 6 When does, finish

→ 「의문사+do/does+주어+동사원형 ~?」의 형태에 맞추어 쓴다.

→ 1 Q: 릭은 매일 무엇을 하니? A: 그는 체육관에서 운동해. / '무엇'을 하는지 대답하고 있으므로 의문사 What으로 묻고, 주어가 3인칭 단수 Rick(→ he)이므로 앞에 does를 쓴다.

2 Q: 그들은 학교에 어떻게 가니? A: 그들은 버스를 타고 학교에 가. / 학교에 가는 '방법'을 대답하고 있으므로 의문사 How로 묻는다.

3 Q: 그는 어디에서 요리하니? A: 그는 부엌에서 요리해. / 요리하는 '장소'를 대답하고 있으므로 의문사 Where로 묻는다.

4 Q: 너는 무엇을 읽니? A: 나는 신문을 읽어. / '무엇'을 읽는지 대답하고 있으므로 의문사 What으로 묻는다.

5 Q: 코알라는 무엇을 먹니? A: 그것들은 나뭇잎을 먹어. / '무엇'을 먹는지 대답하고 있으므로 의문사 What으로 묻고, 주어가 복수 명사 koalas(→ they)이므로 앞에 do를 쓴다.

6 Q: 그 수업은 언제 끝나니? A: 그것은 12시 40분에 끝나. / '언제' 끝나는지 대답하고 있으므로 의문사 When으로 묻고, 주어가 3인칭 단수 the class(→ it)이므로 앞에 does를 쓴다.

Step 3 p.79

A 1 What does 2 Where do 3 When does

→ 1 Q: 그는 무엇을 좋아하니? A: 그는 로봇을 좋아해.

2 Q: 그들은 어디에 사니? A: 그들은 뉴욕에 살아.

3 Q: 그것은 언제 시작하니? A: 그것은 오전 9시에 시작해.

B 1 How does, How does it work?
2 What do, What do your aunts do?
3 When does, When does the store open?
4 Where do, Where do the students have lunch?

→ 1, 3 주어가 3인칭 단수이므로 의문사 뒤에 does를 쓴다.

2, 4 주어가 복수 명사이므로 의문사 뒤에 do를 쓴다.

UNIT 3 What/Whose/How로 시작하는 의문문

Step 2 p.81

A 1 How 2 day 3 How 4 What
5 Whose 6 time 7 What 8 much

B 1 D 2 A 3 E 4 F 5 B 6 G 7 C

→ 1 무슨 요일이니? - D 수요일이야.
2 그것은 얼마인가요? - A 12달러입니다.
3 몇 시니? - E 12시 30분이야.
4 네 가방은 무슨 색이니? - F 검은색이야.
5 이것은 누구의 안경이니? - B 그것은 내 것이야.
6 네 개는 몇 살이니? - G 그것은 세 살이야.
7 그녀는 몇 학년이니? - C 그녀는 1학년이야.

C 1 What color 2 Whose
3 How much 4 What time
5 What day 6 How old

→ 1 Q: 그 튜브는 무슨 색이니? A: 그것은 노란색이야.
2 Q: 저것은 누구의 헬멧이니? A: 그것은 젠의 것이야. / 누구의 것인지(Jen's) 대답하고 있으므로 소유를 묻는 의문사 Whose가 알맞다.
3 Q: 그것들은 얼마인가요? A: 40달러예요.
4 Q: 몇 시니? A: 11시 15분이야.
5 Q: 무슨 요일이니? A: 금요일이야.
6 Q: 당신의 아들은 몇 살인가요? A: 그는 열 살이에요.

D 1 Whose bag 2 How old
3 What grade 4 How much
5 What color 6 What time

Step 3 p.83

A 1 How old 2 What color
3 Whose jacket 4 How much

→ 1 Q: 그녀는 몇 살이니? A: 그녀는 일곱 살이야.
2 Q: 저것들은 무슨 색이니? A: 그것들은 파란색이야.
3 Q: 이것은 누구의 재킷이니? A: 그것은 내 여동생[언니, 누나]의 것이야. / 누구의 것인지(my sister's) 대답하고 있으므로 소유를 묻는 의문사 Whose가 알맞다.
4 Q: 이것들은 얼마인가요? A: 45달러입니다.

B 1 What grade, What grade is your sister in?
2 Whose, Whose boots are these?
3 What time, What time do you eat dinner?

→ 3 의문사가 있는 일반동사의 의문문이고, 주어가 you이므로 「What time+do+주어+동사원형 ~?」의 순서로 쓴다.

CHAPTER EXERCISE

CHAPTER 5 p.84

01 Where 02 What 03 How
04 What 05 ② 06 ① 07 When
08 What 09 Who 10 Whose
11 ④ 12 ③ 13 ④ 14 ③
15 is Jamie 16 are 17 How
18 What are you doing?
19 How much are the tulips?
20 What color is the sweater?

01 Q: 제이슨은 어디에 있니? A: 그는 도서관에 있어.
02 Q: 그녀는 무엇을 공부하고 있니? A: 그녀는 영어를 공부하고 있어.
03 Q: 날씨가 어떠니? A: 비가 와.
04 Q: 그녀의 머리카락은 무슨 색이니? A: 갈색이야.
05 Q: 내 축구공은 ______ 있니? A: 그것은 의자 아래에 있어. ① 무엇 ② 어디에 ③ 누구 ④ 언제 / ② 장소를 대답하고 있으므로 의문사 Where가 알맞다.

06 Q: 이것은 ______인가요? A: 50달러예요. ① 얼마 ② 무슨 색 ③ 몇 학년 ④ 몇 살 / ① 가격을 대답하고 있으므로 How much가 알맞다.

07 Q: 아론의 생일은 언제니? A: 4월 17일이야.

08 Q: 오늘은 무슨 요일이니? A: 화요일이야.

09 Q: 그들은 누구니? A: 그들은 내 친구들이야.

10 Q: 이것은 누구의 재킷이니? A: 그것은 내 형[오빠, 남동생]의 것이야.

11 · 너는 ______을 원하니? · 너는 ______학년이니? ① 어디에 ② 어떻게 ③ 누구 ④ 무엇, 몇

12 · 너는 오늘 ______니? · 그녀는 ______살이니? ① 누구 ② 어디에 ③ 어떤, 몇 ④ 무엇 / ③ 안부나 나이를 물을 때는 의문사 How를 사용한다.

13 · 저것은 ______ 집이니? · 이것들은 ______ 신발이니? ① 어디에 ② 언제 ③ 어떤 ④ 누구의 / ④ 두 문장 모두 빈칸 뒤에 명사가 있고, '누구의' 것인지 묻는 것이 자연스러우므로 의문사 Whose가 알맞다. 나머지 의문사 Where, When, How 바로 뒤에는 명사가 올 수 없다.

14 ① 너[너희들]는 어떻게 지내니? ② 그것들은 얼마인가요? ③ 너[너희들]는 몇 학년이니? ④ 네 남동생[오빠, 형]은 몇 살이니? / ③ '학년'을 물을 때는 의문사 What을 사용한다. 나머지 빈칸에는 모두 의문사 How가 알맞다.

15 제이미는 무엇을 요리하고 있니? / 의문사가 있는 현재진행형 의문문에서도 be동사 바로 뒤에 주어가 온다.

16 그 아이들은 몇 살이니? / 의문문의 주어가 복수명사 the children(→ they)이므로 are가 앞에 와야 한다.

17 오늘 날씨가 어떠니? / 의문사 What을 이용하여 날씨를 물을 때는 What is the weather like?과 같이 문장 뒤에 like가 붙어야 한다.

18 「What+be동사+주어+동사의 -ing형?」의 순서로 쓴다.

19 「How much+be동사+주어?」의 순서로 쓴다.

20 「What color+be동사+주어?」의 순서로 쓴다.

REVIEW

CHAPTER 4-5 p.86

A 1 four 2 is 3 second 4 does 5 first

B 1 Whose 2 Where does 3 What, fifth 4 How much, thirty 5 What time 6 What, it, It

A 1 나는 오늘 수업 네 개가 있다. / 개수를 나타내므로 기수 four가 알맞다.

2 줄리는 무엇을 보고 있니? / 의문문의 주어 Julie 뒤에 동사의 -ing형인 watching이 있으므로 현재진행형의 의문문이 되어야 한다.

3 그녀의 둘째 아들은 수의사이다. / 순서를 나타내므로 서수 second가 알맞다.

4 그녀는 어떻게 학교에 가니? / 주어가 3인칭 단수 she이므로 does가 알맞다.

5 그 사무실은 1층에 있다. / one의 서수는 모양이 완전히 바뀌는 first이다.

B 2 주어 뒤에 동사원형 work가 있으므로 「의문사+do/does+주어+동사원형 ~?」 형태가 되어야 한다. 주어가 she이므로 does를 쓴다.

3 날짜는 서수로 나타낸다. five의 서수는 fifth이다.

6 요일을 묻거나 답할 때는 비인칭 주어 It[it]이 쓰인다.

형용사와 부사

UNIT 1 형용사

Step 2 p.89

A 1 nice 2 thirsty 3 red
4 heavy 5 many 6 busy
7 rainy

→ 1, 3, 5, 7 명사 앞에서 명사를 꾸며주는 역할을 한다.
2, 4, 6 be동사 뒤에 쓰여 주어의 상태나 성질을 설명해준다.

B 1 hot, cold 2 long, short
3 fast, slow 4 old, new

→ 1 그 커피는 뜨겁다. 그 탄산음료는 차갑다.
2 그 여자아이는 긴 머리카락을 가지고 있다.
그 남자아이는 짧은 머리카락을 가지고 있다.
3 그 토끼는 빠르다. 그 거북이는 느리다.
4 테드는 낡은 신발을 가지고 있다.
벤은 새 신발을 가지고 있다.

C 1 cute dog 2 tall boy
3 is large 4 heavy suitcase
5 is difficult 6 are delicious

→ 형용사는 어느 위치에 어떻게 쓰이는지에 따라 비슷한 의미의 문장을 서로 다르게 표현할 수 있다.
→ 1, 2, 4 「형용사+명사」의 순서로 쓴다.
3, 5, 6 「be동사+형용사」의 순서로 쓴다.
1 그것은 귀여운 개다.
2 그는 키가 큰 남자아이이다.
3 그 집은 커다랗다.
4 그것은 무거운 여행 가방이다.
5 그 문제는 어렵다.
6 그 햄버거들은 맛있다.

D 1 a tall building 2 her green hair
3 many 4 a great plan
5 much 6 an interesting book
7 windows

→ 1 저것은 높은 건물이다. / 「a+형용사+명사」의 순서로 쓴다.
2 그녀의 녹색 머리를 좀 봐. / 「소유격 대명사+형용사+명사」의 순서로 쓴다.
3 샐리는 많은 꽃을 원한다. / 복수 명사 앞에는 수가 많음을 나타내는 형용사 many를 써야 한다.
4 우리는 아주 좋은 계획이 있다.
5 우리는 많은 버터를 가지고 있지 않다. / 셀 수 없는 명사 butter 앞에는 양이 많음을 나타내는 형용사 much를 써야 한다.
6 이것은 재미있는 책이다. / 형용사 interesting이 모음 발음(i)으로 시작하므로 an이 알맞다.
7 그 집은 많은 창문이 있다. / many 뒤에는 복수 명사가 와야 한다.

Step 3 p.91

A 1 blue eyes 2 a rainy day 3 many

→ 1 제이는 파란 눈을 가지고 있다. / 형용사는 명사 앞에 와야 한다.
2 오늘은 비가 오는 날이다. / 「a+형용사+명사」의 순서로 쓴다.
3 수지는 많은 신발을 가지고 있다. / 복수 명사 앞에는 many를 쓴다.

B 1 expensive, The apples are expensive.

2 new, I like his new song.
3 much, The cook doesn't use much sugar.
4 brave, My uncle is a brave firefighter.

→ 2 「소유격 대명사+형용사+명사」의 순서로 쓴다.
3 sugar(설탕)는 셀 수 없는 명사이므로 앞에 much를 써야 한다.
4 「a+형용사+명사」의 순서로 쓴다.

UNIT 2 부사

Step 2 p.93

A 1 early 2 really 3 loudly
4 well 5 safely 6 very
7 slowly

→ 1 동사 gets up을 꾸며준다.
2 형용사 cold를 꾸며준다.
3 동사 cries를 꾸며준다.
4 동사 plays를 꾸며준다.
5 동사 drives를 꾸며준다.
6 형용사 kind를 꾸며준다.
7 동사 eats를 꾸며준다.

B 1 easily 2 dangerously 3 brightly
4 kindly 5 early 6 happily
7 sadly 8 quietly 9 luckily

→ 1, 6, 9 '자음+y'로 끝나는 형용사는 y를 i로 바꾸고 -ly를 붙인다.
2, 3, 4, 7, 8 대부분의 형용사는 뒤에 -ly를 붙인다.
5 early는 형용사와 부사의 모양이 같다.

C 1 quietly 2 well 3 kind 4 happily

→ 1 그 여자아이는 조용하게 읽는다. / 동사 reads를 꾸며주는 말이 필요하므로 부사가 알맞다.
2 그 아이들은 나무에 잘 오른다. / 동사 climb을 꾸며주는 말이 필요하므로 부사가 알맞다.
3 데이비드는 매우 친절하다. / be동사 is 뒤에서 주어 David를 설명해주는 말이 필요하므로 형용사가 알맞다.
4 그들은 눈 속에서 행복하게 놀고 있다. / 동사 are playing을 꾸며주는 말이 필요하므로 부사가 알맞다.

D 1 brightly 2 beautifully 3 late
4 loud 5 well

→ 1 동사 is shining을 꾸며주는 말이 필요하므로 부사 자리이다. bright 뒤에는 -ly만 붙인다.
2 동사 draws를 꾸며주는 말이 필요하므로 부사 자리이다. beautiful 뒤에는 -ly만 붙인다.
3 동사 goes를 꾸며주는 말이 필요하므로 부사 자리이다. late는 형용사와 부사의 모양이 같으므로 late 그대로 쓴다.
4 명사 music을 꾸며주는 말이 필요하므로 형용사 자리이다.
5 동사 speaks를 꾸며주는 말이 필요하므로 부사 자리이다. good의 부사는 well로 쓴다.

Step 3 p.95

A 1 well 2 early 3 sadly
4 fast 5 soft

→ 1 내 친구는 노래를 잘 부른다.
2 그 가게는 일찍 닫는다.
3 그는 슬프게 미소 짓고 있다.
4 그 비행기는 빠르게 난다.
5 그 침대는 정말로 푹신하다. / be동사 뒤에서 주어 The bed를 설명해주는 말이 필요하므로 형용사가 알맞다.

B 1 dangerously, He drives his car dangerously.
2 hard, Luke works very hard.
3 easily, She solves puzzles easily.

→ 1 동사 drives를 꾸며주는 말이므로 부사가 알맞다. dangerous 뒤에 -ly를 붙여 쓴다.
2 동사 works를 꾸며주는 말이므로 부사가 알맞다. hard는 부사로 쓰일 때 모양을 바꾸지 않고 그대로 쓴다.

3 동사 solves를 꾸며주는 말이므로 부사가 알맞다. easy는 '자음+y'로 끝나는 형용사이므로 y를 i로 바꾸고 -ly를 붙인다.

CHAPTER EXERCISE

CHAPTER 6 p.96

01 ③ 02 ② 03 much 04 sweet
05 high 06 happy 07 carefully
08 many 09 ④ 10 ③ 11 ②
12 ② 13 beautifully, beautiful
14 quiet, quietly 15 late 16 fast
17 safe 18 much 19 nice
20 questions

01 ① 빠른 - 빠르게 ② 조용한 - 조용하게 ③ 바쁜 - 바쁘게 ④ 위험한 - 위험하게 / ③ busy는 '자음+y'로 끝나는 형용사이므로 y를 i로 바꾸고 -ly를 붙인다.

02 ① 느린 - 느리게 ② 늦은 - 늦게 ③ 높은 - 높게 ④ 멋진 - 멋지게 / ② late는 형용사와 부사의 모양이 같다.

03 나는 많은 우유를 마시지 않는다. / 셀 수 없는 명사 milk 앞에는 양이 많음을 나타내는 much를 쓴다.

04 그 딸기들은 달다. / be동사 are 뒤에서 주어 The strawberries를 설명해주는 형용사 자리이다.

05 캥거루는 매우 높이 점프할 수 있다. / 동사 can jump를 꾸며주는 말이 와야 하므로, '높이'를 뜻하는 부사 high가 알맞다. highly는 '매우, 크게, 대단히'라는 뜻으로 전혀 다른 의미로 쓰인다.

06 그 행복한 남자아이 좀 봐봐. / 명사 boy를 꾸며주는 말이 필요하므로 형용사 자리이다.

07 내 할머니는 조심스럽게 걸으신다. / 동사 walks를 꾸며주는 부사 자리이다.

08 그 농부는 많은 말들을 가지고 있다. / 복수 명사 horses 앞에는 수가 많음을 나타내는 many를 쓴다.

09 · 그 빵은 딱딱하다. · 내 언니[누나, 여동생]는 매우 열심히 공부한다. ① 이른; 일찍 ② 잘 ③ 늦은; 늦게 ④ 어려운, 딱딱한; 열심히 / 첫 번째 문장에는 be동사 is 뒤에서 주어 The bread를 설명해주는 형용사가 필요하고, 두 번째 문장에는 동사 studies를 꾸며주는 부사가 필요하다. ① early와 ③ late도 형용사와 부사로 모두 쓰일 수 있지만, 의미상 두 문장의 빈칸에 공통으로 가장 적절한 것은 ④ hard이다.

10 제이슨은 ______ 남자아이이다. ① 똑똑한 ② 좋은 ③ 시끄럽게 ④ 잘생긴 / 명사 boy를 꾸며주는 말이 필요하므로 형용사 자리이다. ③ loudly는 부사이므로 빈칸에 들어갈 수 없다.

11 ① 나는 차가운 물을 원해. ② 그것은 멋진 셔츠이다. ③ 토니는 갈색 머리카락을 가지고 있다. ④ 그 큰 보트를 좀 봐봐. / ② 「a+형용사+명사」의 순서가 알맞다.

12 ① 나는 일찍 잠자리에 든다. ② 그녀는 만화를 잘 그린다. ③ 그는 열심히 일하지 않는다. ④ 그 비행기는 하늘 높이 난다. / ② 동사 draws를 꾸며주는 부사 자리이므로 부사 well로 고쳐야 한다.

13 그 가수는 아름답게 노래한다. 그것은 아름다운 노래이다.

14 도서관에서는 조용히 해라. 고양이들은 조용하게 움직인다.

17 명사 place를 꾸며주는 말이 필요하므로 형용사 safe 그대로 쓴다.

18 그 차는 많은 휘발유가 필요하지 않다. / gas(휘발유)는 셀 수 없는 명사이므로 앞에 much를 써야 한다.

19 그 배우는 멋진 목소리를 가지고 있다. / 명사 voice를 꾸며주는 형용사 자리이다.

20 그는 많은 질문을 하니? / many 뒤에는 복수 명사가 와야 한다.

REVIEW

CHAPTER 5-6 **p.98**

A 1 What 2 live 3 careful 4 much
5 What
B 1 What does 2 many 3 Whose
4 much 5 How much
C 1 beautifully 2 does
3 my favorite teacher

A 1 몇 시니? / 시간을 물을 때는 의문사 What을 쓴다.
2 제시카는 어디에 사니? / 의문사가 있는 일반동사 의문문에서도 주어 뒤에는 항상 동사원형을 쓴다.
3 그린 씨는 신중한 운전자이다. / 명사 driver를 꾸며주는 형용사 자리이다.
4 너[너희들]는 많은 시간이 필요하니? / 셀 수 없는 명사 time 앞이므로 much가 알맞다.
5 그녀의 머리카락은 무슨 색이니? / 무슨 색인지 물을 때는 What color로 시작한다.

B 1 '무엇'에 해당하는 의문사 What을 맨 앞에 쓰고, 주어가 3인칭 단수 the store(→ it)이므로 does를 쓴다.
2 복수 명사 tables 앞에는 many가 온다.
3 '누구의'에 해당하는 의문사 Whose가 알맞다.
4 셀 수 없는 명사 honey 앞에는 much가 온다.
5 가격을 물을 때는 How much로 묻는다.

C 1 그녀는 피아노를 아름답게 연주한다. / 동사 plays를 꾸며주는 말이 필요하므로 부사로 고쳐 쓴다.
2 그 영화는 언제 시작하나요? / 주어가 3인칭 단수 the movie(→ it)이므로 does가 알맞다.
3 데이비드 선생님은 내가 가장 좋아하는 선생님이다. / 「소유격 대명사+형용사+명사」의 순서가 알맞다.

전치사

UNIT 1 장소를 나타내는 전치사

Step 2 **p.101**

A 1 in 2 on 3 next to
4 at 5 under 6 behind
7 in front of 8 between

B 1 under 2 next to 3 behind
4 on 5 in front of

C 1 on 2 under 3 next to
4 in 5 at 6 behind

→ 1 그 드레스는 침대 위에 있다.
2 그 고양이는 탁자 아래에 앉아 있다.
3 그 서점은 은행 옆에 있다.
4 그 펭귄은 이글루 안에 있다.
5 크리스는 문에 서 있다.
6 그 고양이는 쇼핑백 뒤에 있다.

D 1 in Sydney 2 on the floor
3 under the desk 4 next to Jenny
5 between the bank and the bookstore
→ 1 도시 '안'에서 사는 것이므로 도시 이름 앞에 전치사 in을 쓴다.
2 '~ 위에'를 뜻하는 전치사 on을 쓴다.
3 '~ 아래에'를 뜻하는 전치사 under를 쓴다.
4 '~ 옆에'를 뜻하는 전치사 next to를 쓴다.
5 'A와 B 사이에'를 뜻하는 전치사 between A and B를 쓴다.

Step 3 p.103

A 1 in 2 on 3 next to 4 under
→ 1 그 새는 상자 안에 있다.
2 그 새는 상자 위에 있다.
3 그 새는 상자 옆에 있다.
4 그 새는 상자 아래에 있다.

B 1 between, The boy is between Jim and Mary.
2 under, The river flows under the bridge.
3 in front of, My brother is standing in front of the mirror.

UNIT 2 시간을 나타내는 전치사

Step 2 p.105

A 1 in 2 on 3 in 4 at 5 in 6 on 7 on
→ 1 '월' 앞에는 전치사 in을 쓴다.
2 '요일' 앞에는 전치사 on을 쓴다.
3 '아침, 오후, 저녁'을 나타내는 말 앞에는 전치사 in을 쓴다.
4 '시각' 앞에는 전치사 at을 쓴다.
5 '연도' 앞에는 전치사 in을 쓴다.
6 '날짜' 앞에는 전치사 on을 쓴다.
7 '특정한 날' 앞에는 전치사 on을 쓴다.

B 1 in 2 on 3 in 4 at 5 on 6 in
→ 6 '계절' 앞에는 전치사 in을 쓴다.

C 1 at 2 in 3 on 4 at 5 on 6 in
→ 4 '하루의 때'를 나타내는 말 night 앞에는 at을 쓴다.

D 1 on Sundays
2 in spring
3 at 10 o'clock
4 on June 15th
5 in the afternoon
6 on your birthday

Step 3 p.107

A 1 in 2 at 3 on 4 in
→ 1 내 생일은 3월이다.
2 그 가게는 8시 정각에 연다.
3 그는 월요일마다 스페인어를 공부한다.
4 나는 아침에 우유를 마신다.

B 1 on, My friends play soccer on Saturdays.
2 in, We go to the beach in summer.
3 at, Jason doesn't watch TV at night.
4 on, Children's Day is on May 5th.

CHAPTER EXERCISE

CHAPTER 7 p.108

01 ② 02 ④ 03 on 04 under
05 at 06 under 07 in 08 behind
09 on 10 ② 11 ④ 12 on 13 in
14 at 15 in January 16 next to the museum 17 between the bookstore
18 at 9:00 19 in China
20 in front of the building

01 ① ~ 사이에 ② ~ 옆에 ③ ~ 아래에 ④ ~ 앞에

02 ① ~ 위에, ~에 ② ~ 안에, ~에 ③ ~ 아래에 ④ ~에 / '시각' 앞에는 전치사 at을 쓴다.

03 '날짜' 앞에는 전치사 on을 쓴다.

05 비교적 좁은 장소나 특정 지점을 나타내는 장소 앞에는 전치사 at을 쓴다.

06 선물들이 크리스마스트리 아래에 있다.

07 그 냄비는 상자 안에 있다.

08 아기 오리들이 그것들의 엄마 뒤에 있다.

09 그 고양이는 의자 위에 있다.

10 ① 그 쇼핑몰은 10시 정각에 연다. ② 그들은 5월 7일에 시험이 있다. ③ 우리는 금요일마다 영화를 본다. ④ 그녀는 아침에 요가를 한다. / ② '날짜' 앞에는 전치사 on을 쓴다.

11 ① 가방 하나가 탁자 옆에 있다. ② 그 고양이는 의자 아래에 있다. ③ 우리는 도서관에서 공부하고 있다. ④ 그들은 TV 앞에 앉아 있다. / ④ '~ 앞에'를 뜻하는 전치사는 in front of이다.

12 · 우리는 금요일마다 캠핑을 간다. · 그 오렌지들은 탁자 위에 있다. / 첫 번째 문장에서 '요일' 앞에는 전치사 on을 쓴다. 두 번째 문장에서 전치사 on이 장소를 나타내는 말 앞에 쓰일 때 '~ 위에'를 뜻하므로 빈칸에 알맞다.

13 · 겨울에는 춥다. · 그 새들은 새장 안에 있다. / 첫 번째 문장에서 '계절' 앞에는 전치사 in을 쓴다. 두 번째 문장에서 전치사 in이 장소를 나타내는 말 앞에 쓰일 때 '~ 안에'를 뜻하므로 빈칸에 알맞다.

14 · 내 학교는 오전 9시에 시작한다. · 버스 정류장에서 만나자. / 첫 번째 문장에서 '시각' 앞에는 전치사 at을 쓴다. 두 번째 문장에서 전치사 at은 비교적 좁은 장소나 특정 지점 앞에도 쓰일 수 있으므로 빈칸에 알맞다.

15 '월' 앞에는 전치사 in을 쓴다.

19 나라 '안'에서 사는 것이므로 나라 이름 앞에 전치사 in을 쓴다.

REVIEW

CHAPTER 6-7 **p.110**

A 1 in 2 many 3 high 4 good 5 on

B 1 at 2 beautiful 3 next to 4 beautifully 5 in

C 1 at 2 fast 3 a smart girl

A

1 내 삼촌은 런던에 사신다.

2 그녀는 많은 신발을 가지고 있다. / 복수 명사 앞이므로 many가 알맞다. much는 셀 수 없는 명사 앞에 쓴다.

3 그 새는 높이 날아간다. / 동사 flies를 꾸며주는 자리이므로 부사 high가 알맞다. high는 형용사와 부사의 형태가 같다. highly는 '매우, 크게, 대단히'라는 뜻으로 high와 전혀 다른 의미로 쓰인다.

4 그린 씨는 좋은 선생님이다. / 명사 teacher를 꾸며주는 말이 필요하므로 형용사 good이 알맞다. well은 형용사 good의 부사이다.

5 그 가게는 일요일마다 열지 않는다.

B

1 '시각' 앞에는 전치사 at을 쓴다.

2 주어 Her song을 설명해주는 자리이므로 형용사 beautiful이 알맞다.

3 '~ 옆에'를 뜻하는 전치사 next to가 알맞다.

4 동사 sings를 꾸며 주는 자리이므로 부사 beautifully가 알맞다.

5 '아침, 오후, 저녁'을 나타내는 말 앞에는 전치사 in을 쓴다.

C

1 그는 밤에 집에 머문다. / '하루의 때'를 나타내는 말 night 앞에는 at을 쓴다.

2 테드는 매우 빨리 달린다. / 동사 runs를 꾸며주는 말이 필요하므로 부사 자리이다. fast는 형용사와 부사의 형태가 같다.

3 사라는 똑똑한 여자아이이다. / 「a+형용사+명사」의 순으로 써야 한다.

FINAL TEST 1회 CHAPTER 1-7

p.112

01 ② **02** ③ **03** ② **04** ① **05** This, is **06** Those, are **07** ③ **08** ④
09 Are, they aren't **10** Do, they do **11** ③ **12** ④ **13** is running
14 isn't standing **15** Are, swimming, they are **16** ② **17** ③ **18** ② **19** ② **20** ③
21 ① **22** ③ **23** ③ **24** brightly **25** much **26** many **27** ② **28** under
29 on **30** at

01 그녀는 그 영화를 아주 좋아한다. ① 그들은[그것들은] ② 그것을 ③ 그들을[그것들을] ④ 그것의 / ② 단수 명사 the movie는 목적격 대명사 it(그것을)으로 바꿀 수 있다.

02 그 여자아이는 축구를 한다. ① 그녀의 ② 그것은 ③ 그녀는 ④ 그는 / ③ 단수 명사 The girl은 주격 대명사 She(그녀는)로 바꿀 수 있다.

03 이것들은 너의[너희들의] 지우개들이다. ① 너의[너희들의] 것 ② 너의[너희들의] ③ 나의 것 ④ 나는 / ② 명사 erasers 앞에는 소유를 나타내는 대명사 your(너의[너희들의])가 들어가야 한다.

04 그 재킷은 그녀의 것이다. ① 그녀의 것 ② 그녀는 ③ 나의 ④ 그는 / ②, ④ 주어 자리에 쓰이는 대명사 she(그녀는), he(그는)는 be동사 is 뒤에 올 수 없다. ③ '누구의' 것인지를 나타내는 대명사 my(나의)는 뒤에 명사가 없으므로 올 수 없다.

05 '이것'을 의미하는 지시대명사는 This이고, '한 개'를 가리키므로 뒤에 is가 와야 한다.

06 '저 아이들'을 의미하는 지시대명사는 Those이고, '여러 사람'을 가리키므로 뒤에 are가 와야 한다.

07 · 제니는 학교에 간다. · 밥은 버튼을 누른다. / ③ Jenny(→ She), Bob(→ He)은 3인칭 단수 주어이므로 3인칭 단수형으로 써야 한다. -o, -sh로 끝나는 동사의 3인칭 단수형은 동사 뒤에 모두 -es를 붙인다.

08 ______는 부산에 사니? ① 그녀의 여동생[언니] ② 에밀리 ③ 토미 ④ 네 친구들 / ④ 복수 명사 your friends(→ they) 앞에는 Do가 와야 하므로 빈칸에 들어갈 수 없다.

09 Q: 그들은 빠르니? A: 아니, 그렇지 않아. / '~는 …하니?'라는 뜻의 be동사의 의문문으로 묻고 답해야 한다. 의문문의 주어가 they이므로 be동사 Are로 시작한다.

10 Q: 너희 부모님은 아침을 드시니? A: 응, 그러셔. / 주어 뒤에 동사원형 have가 오므로 일반동사의 의문문으로 묻고 답해야 한다. 주어가 복수 명사 your parents(→ they)이므로 Do로 시작하고, 대답할 때 주어는 대명사 they로 바꿔 쓴다.

11 ③ 동사 come은 -e로 끝나는 동사이므로 e를 없애고 ing를 붙인다. 나머지 동사들은 뒤에 ing만 붙이면 된다.

12 '~하고 있지 않다'라는 의미는 「be동사의 현재형+not+동사의 -ing형」으로 나타낸다. Amy(→ She)가 3인칭 단수 주어이므로 뒤에 is not의 줄임말 isn't가 온다. 동사 carry는 뒤에 ing만 붙이면 된다.

13 The boy(→ He)는 3인칭 단수 주어이므로 뒤에 is를 쓰고, 동사 run은 '모음 1개+자음 1개'로 끝나므로 마지막 자음 n을 한 번 더 쓰고 ing를 붙인다.

14 남자아이가 의자에 앉아 있는 그림이므로 '~하고 있지 않다'라는 의미의 현재진행형의 부정문으로 나타낸다. Sam(→ He)이 3인칭 단수 주어이므로 is not의 줄임말 isn't를 쓰고, 동사 stand 뒤에 ing를 붙인다.

15 복수 명사 주어 Jim and Paul은 they로 바꾸어 대답한다.

16 ① 2시 정각이다. ② 그것은 내 우산이다. ③ 여기에서 멀지 않다. ④ 밖은 매우 춥다. / ② 밑줄 친 It

은 '그것'이라는 뜻의 인칭대명사이다. 나머지는 모두 뜻이 없는 비인칭 주어이다.

17 ③ thirty의 서수는 y를 ie로 바꾸고 -th를 붙인 thirtieth이다.

18 오늘은 2021년 11월 1일이다. / 날짜는 '월-일-연도'의 순서로 쓴다. '~일'은 서수로 쓰고, 연도는 기수로 쓴다.

19 Q: 네 생일은 언제니? A: 7월 2일이야. ① 무엇 ② 언제 ③ 누구 ④ 어떤 / ② 생일이 언제인지 답하고 있으므로 의문사 When으로 묻는다.

20 Q: 그의 고양이는 어디에 있니? A: 그것은 탁자 아래에 있어. ① 어떻게 ② 무엇 ③ 어디에 ④ 누구의 / ③ 그의 고양이가 어디에 있는지 답하고 있으므로 의문사 Where로 묻는다.

21 ① 그것은 얼마니? ② 네 이름은 무엇이니? ③ 그는 무엇을 원하니? ④ 네가 가장 좋아하는 색은 무엇이니? / ① 가격을 물을 때는 의문사 How를 사용한다. 나머지 빈칸에는 모두 의문사 What이 알맞다.

22 ① 너는 무엇을 좋아하니? ② 그들은 어디에 사니? ③ 그것은 언제 시작하니? ④ 제가 그곳에 어떻게 가야 하나요? / ③ 주어가 it이므로 앞에는 does를 쓴다. 나머지 빈칸에는 모두 do를 써야 한다.

23 ① 그 여자아이들은 누구니? ② 네 이름은 무엇이니? ③ 너는 무엇을 좋아하니? ④ 너는 무엇을 보고 있니? / ① 주어가 복수 명사 the girls(→ they)이므로 앞에 are가 와야 한다. ② 이름을 물을 때는 의문사 What을 사용한다. ④ 의문사 What이 쓰인 현재진행형 의문문으로 주어가 you이므로 앞에 are가 온다.

24 주디는 밝게 웃고 있다. / 동사 is smiling을 꾸며주는 말이 필요하므로 부사 자리이다.

25 나는 많은 돈을 가지고 있지 않다. / 명사 money를 꾸며주는 말이 필요하므로 형용사 자리이다. money는 셀 수 없는 명사이므로 앞에 much를 써야 한다.

26 우리는 많은 친구들이 필요하다. / friends는 복수명사이므로 앞에 many를 써야 한다.

27 ① 쉬운 - 쉽게 ② 어려운 - 어렵게 ③ 친절한 - 친절하게 ④ 슬픈 - 슬프게 / ② hard는 부사일 때 모양을 바꾸지 않고 그대로 쓴다.

28 그 개는 탁자 밑에 있다.

29 내 생일은 4월 17일이다. / '날짜' 앞에는 전치사 on을 쓴다.

30 그 버스 기사는 버스 정류장에 있다. / 비교적 좁은 장소나 특정 지점을 나타내는 장소 앞에는 전치사 at을 쓴다.

FINAL TEST 2회 CHAPTER 1-7

p.116

01 ③ **02** ④ **03** This is **04** her umbrellas **05** his **06** ③ **07** ② **08** ③ **09** ④
10 ④ **11** ③ **12** ③ **13** twelfth **14** eight **15** ninth **16** ④ **17** ③
18 When is **19** What are **20** How is **21** ④ **22** ④ **23** ③ **24** ④
25 ② **26** early **27** my new bicycle **28** happily **29** next to **30** at

01 그것은 ______ 개다. ① 나는 ② 우리는 ③ 그의 ④ 그녀는 / ③ 명사 dog 앞에는 '누구의' 개인지 나타내는 소유격 대명사 his(그의)가 들어가야 한다. 나머지는 모두 주어 자리에 오는 주격 대명사이다.

02 그 장갑은 ______이다. ① 나는 ② 나의 ③ 너의[너희들의] ④ 나의 것 / ① 주어 자리에 쓰이는 대명사 I(나는)는 be동사 뒤에 올 수 없다. ②, ③ 빈칸 뒤에 명사가 없으므로 소유격 대명사 my(나의),

your(너의[너희들의])는 알맞지 않다.

03 이것은 내 고양이다. / 단수 명사 my cat(→ it) 앞에는 This is가 와야 한다.

04 이것들은 그녀의 우산들이다. / These는 '여럿'을 가리키므로 are 뒤에도 복수 명사가 와야 한다. 따라서 her umbrella 뒤에는 s를 붙여야 한다.

05 그 손목시계는 그의 것이다. / 그 손목시계가 '누구의 것'인지 나타내는 소유대명사가 필요하므로 his(그의 것)로 고쳐야 한다.

06 ① 우리는 가수가 아니다. ② 그는 집에 없다. ③ 그들은 네 친구들이니? ④ 그것은 그녀의 새 차이다. / ③ 의문문의 주어가 they이므로 문장 맨 앞에는 Are가 와야 한다.

07 ② cry는 '자음+y'로 끝나는 동사이므로 y를 i로 고치고 -es를 붙인다.

08 ① 그녀는 12시 정각에 점심을 먹는다. ② 내 사촌은 학교에 간다. ③ 그는 매일 책을 읽는다. ④ 올리버는 컴퓨터 게임을 한다. / ① 주어가 She이므로 동사는 have의 3인칭 단수형 has가 와야 한다. ② 주어가 My cousin(→ he 또는 she)이므로 3인칭 단수형 goes로 써야 한다. ④ 주어가 3인칭 단수 Oliver(→ He)이므로 동사 play 뒤에 s를 붙여야 한다.

09 · 젠과 나는 중국어를 하지 않는다. · 베티는 부산에 사니? / 첫 번째 문장에서 주어가 Jen and I(→ We)이므로 뒤에 don't가 와야 한다. 두 번째 문장에서는 주어가 Betty(→ She)이므로 빈칸에 Does가 와야 한다.

10 ① 제이크는 학교에 걸어가고 있다. ② 내 남동생[형, 오빠]은 빵을 사고 있다. ③ 나는 영화를 보고 있지 않다. ④ 샐리와 나는 앉아 있지 않다. / ④ 동사 sit은 '모음 1개+자음 1개'로 끝나는 동사이므로 자음 t를 한 번 더 쓰고 ing를 붙여야 한다.

11 ① Q: 제레미는 노래를 부르고 있니? A: 응, 그래. ② Q: 너는 종이를 자르고 있니? A: 아니, 그렇지 않아. ③ Q: 너희 엄마는 요리하고 계시니? A: 아니, 그렇지 않아. ④ Q: 그들은 커피를 마시고 있니? A: 응, 그래. / ③ 의문문의 주어가 your mom이므로 대답할 때 주어는 she로 답해야 한다.

12 주어가 The girl(→ She)이므로 뒤에 is가 오고, 동사 make는 -e로 끝나는 동사이므로 e를 없애고 ing를 붙인 making이 알맞다.

13 오늘은 토니의 열두 번째 생일이다. / '열두 번째'를 뜻하는 서수 twelfth가 알맞다.

14 내 여동생[언니]은 8살이다. / 나이를 말할 때는 기수를 쓴다.

15 그 중국 음식점은 9층에 있다. / nine의 서수는 e를 생략하고 -th를 붙인 ninth이다.

16 ④ 날짜는 '월-일-연도'의 순서로 쓴다.

17 · 몇 시인가요? · 화창하다. / 날씨, 시각, 요일, 날짜, 거리 등을 나타낼 때 주어 자리에는 비인칭 주어 it[It]을 쓴다.

18 '언제'에 해당하는 의문사 When 뒤에는 단수 명사 주어 his birthday(→ it)에 맞도록 is를 쓴다.

19 '무엇을 하고 있니?'라는 의미의 현재진행형 의문문이므로 의문사는 What을 쓰고, 주어 you에 맞게 be동사는 are를 쓴다.

20 '어떤'에 해당하는 의문사 How 뒤에는 단수 명사 주어 your brother(→ he)에 맞도록 is를 쓴다.

21 Q: ① 그녀는 어디에 사니? ② 그녀는 무슨 일을 하니? ③ 그녀는 언제 학교에 가니? ④ 그녀는 어떻게 학교에 가니? A: 그녀는 버스로 간다. / ④ 학교에 가는 '방법'을 대답하고 있으므로 의문사 How로 물어야 한다.

22 · 그것은 누구의 안경이니? · 그는 어떻게 영어를 배우니? / ④ 첫 번째 빈칸 뒤에는 명사가 있고, 의미상 '누구의' 것인지 소유를 묻고 있으므로 의문사 Whose가 알맞다. 두 번째 빈칸에는 의문문의 주어가 he이므로 does가 들어가야 한다.

23 ① 그것은 귀여운 인형이다. ② 나는 긴 머리카락을 가지고 있다. ③ 그 음식은 훌륭하다. ④ 이것은 그녀의 새 공책이다. / ③ 형용사 good은 be동사 뒤에서 주어 The food를 설명해주고 있다. 나머지 형용사들은 뒤의 명사를 꾸며주는 역할을 한다.

24 ① 그 신발은 새것이다. ② 그 연필은 길지 않다. ③ 내 친구는 예쁘다. ④ 나는 비 오는 날을 좋아한다. / ④ 형용사 rainy는 뒤의 명사 days를 꾸며 주는 역할을 한다. 나머지 형용사들은 be동사 뒤에서

주어를 설명해주고 있다.

25 조이는 좋은 가수이다. → 조이는 노래를 잘 부른다. / ② 동사 sings를 꾸며주는 말이 필요하므로 부사 자리이다. 형용사 good의 부사는 well로 쓴다.

26 동사 wakes up을 꾸며주는 말이 필요하므로 부사 자리이다. early는 형용사와 부사의 모양이 같으므로 early 그대로 쓴다.

27 「소유격 대명사+형용사+명사」의 순서로 써야 한다.

28 동사 is smiling을 꾸며주는 말이 필요하므로 부사 자리이다. happy는 '자음+y'로 끝나는 형용사이므로 y를 i로 바꾸고 -ly를 붙인다.

29 그녀는 그녀의 개 옆에 서 있다. / 여자아이가 개 옆에 서 있는 그림이므로 '~ 옆에'라는 뜻의 전치사 next to가 알맞다.

30 알렉스는 10시 정각에 잠자리에 든다. / 시각 앞에는 전치사 at을 쓴다.

Start

3

WORKBOOK

정답과 해설

CHAPTER 1 대명사

UNIT 1 p.2

01 him	02 It	03 They
04 him	05 They	06 them
07 He	08 it	09 them
10 She	11 it	12 you
13 They	14 We	15 her

01 나는 그 남자아이를 안다. / 동사 know의 목적어 자리이므로 목적격 대명사 him(그를)이 알맞다.

02 그 호랑이는 빨리 달린다. / 주어 자리이고, 단수 명사 The tiger를 대신하므로 It(그것은)이 알맞다.

03 수지와 알렉스는 친구이다. / 주어 자리이고, 복수 명사 Suji and Alex를 대신하므로 They(그들은)가 알맞다.

04 우리는 그 남자를 좋아한다.

05 내 부모님은 그녀를 그리워하신다.

06 닉은 그의 친구들을 좋아한다. / 동사 likes의 목적어 자리이고, '나'와 '너'를 포함하지 않는 다른 사람 여럿을 가리키므로 목적격 대명사 them(그들을)으로 바꿀 수 있다.

07 데이비드 씨는 영어를 가르친다. / 주어 Mr. David를 대신하므로 주격 대명사 He(그는)가 알맞다.

08 폴과 나는 축구를 아주 좋아한다.

09 마크는 그 책들을 좋아한다.

10 미아는 수학을 공부한다.

11 내 할머니는 그 꽃을 아주 좋아하신다.

12 그녀는 너와 진을 기억한다. / 동사 remembers의 목직어 자리이고, '너'를 포함한 여러 명을 가리키므로 목적격 대명사 you(너희들을)로 바꿀 수 있다.

13 그 남자들은 멋진 차들을 가지고 있다.

14 샘과 나는 학교에 간다. / 주어 자리이고, '나'를 포함한 여러 명을 가리키므로 주격 대명사 We(우리는)가 알맞다.

15 우리는 우리의 할머니를 방문한다.

UNIT 2 p.3

01 his	02 your	03 her, hers
04 his, his	05 our	06 their
07 her	08 his, his	09 my
10 It, Its		

01 뒤에 명사 address가 있으므로 '그의'라는 뜻의 소유격 대명사 his로 바꿔 써야 한다.

03, 04, 08, 10 첫 번째 빈칸에는 뒤에 명사가 있으므로 소유격으로 쓰고, 두 번째 빈칸에는 '~의 것'이라는 뜻의 소유대명사로 써야 한다.

UNIT 3 p.4

01 This is	02 This is	03 That is
04 These are	05 Those are	
06 These are	07 That is	08 This is
09 Those are	10 That is	11 These are
12 This is	13 Those are	14 That is
15 Those are		

→ This와 That 뒤에는 be동사 is가 오고, These와 Those 뒤에는 be동사 are가 온다.

GRAMMAR IN SENTENCES p.5

01 her, The boy likes her.
02 We, We have a car.
03 yours, The book is yours.
04 His, His computer is new.
05 This, This is your fork.
06 These, These are my sisters.

01 '그녀를'이라는 뜻의 목적격 대명사는 her이다.

02 '우리는'이라는 뜻의 주격 대명사는 We이다.

03 빈칸 뒤에 명사가 없으므로 '너의 것'이라는 뜻의

소유대명사 yours를 써야 한다.

04 빈칸 뒤에 명사 computer가 있으므로 '그의'라는 뜻의 소유격 대명사 His를 써야 한다.

05 '이것'이라는 뜻의 지시대명사는 This이다.

06 '이 사람들'이라는 뜻의 지시대명사는 These이다.

CHAPTER 2 be동사와 일반동사

UNIT 1 p.6

01 He is not a student.
02 Is she in the classroom?
03 My mom is not[isn't] a doctor.
04 Are Kevin and Lizzy tall?
05 Are the girls smart?
06 Tom and his brother are not[aren't] nurses.
07 Is the coffee hot?
08 Justin is not[isn't] a police officer.
09 Are the bears brown?

→ be동사의 부정문은 'be동사+not' 형태로 쓴다. is not은 isn't로, are not은 aren't로 줄여 쓸 수 있다.

→ be동사의 의문문은 주어와 be동사의 순서만 바꿔 주면 된다.

01 그는 학생이 아니다.
02 그녀는 교실 안에 있니?
03 나의 엄마는 의사가 아니시다.
04 케빈과 리지는 키가 크니?
05 그 여자아이들은 똑똑하니?
06 톰과 그의 형은 간호사가 아니다.
07 그 커피는 뜨겁니?
08 저스틴은 경찰관이 아니다.
09 그 곰들은 갈색이니?

UNIT 2 p.7

01 cries	02 has	03 play
04 drives	05 watches	06 flies
07 write	08 catches	09 go
10 lives	11 fixes	12 washes
13 clean	14 study	15 get up

01, 06 주어가 3인칭 단수이고, '자음+y'로 끝나는 동사이므로 y를 i로 고치고 -es를 붙인다.

02 동사 have의 3인칭 단수형 has로 써야 한다.

03, 09, 13, 14, 15 주어가 복수 명사이므로 동사원형 그대로 쓴다.

05, 08, 11, 12 주어가 3인칭 단수이고, 동사가 -ch, -x, -sh로 끝나는 경우 동사 뒤에 -es를 붙인다.

01 그 아기는 밤에 운다.
02 샘은 숙제가 있다.
03 그 여자아이들은 방과 후에 농구를 한다.
04 메리 씨는 운전을 해서 직장에 간다.
05 낸시는 매일 TV를 본다.
06 그 풍선은 하늘을 날아간다.
07 그들은 크리스마스카드를 쓴다.
08 그 개는 그 공을 잡는다.
09 그 아이들은 박물관에 간다.
10 내 사촌은 캐나다에 산다.
11 화이트 씨는 그의 자전거를 고친다.
12 나의 아빠는 매일 설거지를 하신다.
13 그 학생들은 교실을 청소한다.
14 리암과 엠마는 매일 한국어를 공부한다.
15 내 남동생[형, 오빠]과 나는 6시에 일어난다.

UNIT 3 p.8

01 doesn't open
02 Do, like
03 Does, eat
04 doesn't live
05 Do, walk
06 don't get up
07 doesn't speak
08 Does, work
09 doesn't study
10 Do, brush

01 주어가 3인칭 단수 The shop(→ It)이므로 doesn't를 쓴다.
02 주어가 복수 명사 Mary and Ellen(→ They)이므로 Do로 시작한다.
06 주어가 복수 명사 My brothers(→ They)이므로 don't를 쓴다.
07 주어가 3인칭 단수 John(→ He)이므로 doesn't를 쓴다.
08 주어가 3인칭 단수 your dad(→ he)이므로 Does로 시작한다.
09 주어가 3인칭 단수 Sue(→ She)이므로 doesn't를 쓴다.

GRAMMAR IN SENTENCES p.9

01 Is, Is he a teacher?
02 aren't, The pants aren't mine.
03 has, He has lunch at 12.
04 washes, Mike washes his face.
05 Does, like, Does he like cats?
06 doesn't, My sister doesn't speak French.

01 의문문의 주어가 he이므로 앞에 Is가 온다.
02 주어가 복수 명사 The pants(→ They)이므로 뒤에 aren't가 온다.
03 주어가 3인칭 단수이므로 have의 3인칭 단수형 has가 알맞다.
04 동사 wash의 3인칭 단수형은 washes이다. -sh로 끝나는 동사는 뒤에 -es를 붙인다.
05 주어가 3인칭 단수이므로 앞에 Does가 와야 한다. 주어 뒤에는 항상 동사원형이 오므로 like가 알맞다.
06 주어가 3인칭 단수 My sister(→ She)이므로 doesn't가 와야 한다.

CHAPTER 3 현재진행형

UNIT 1 p.10

01 is going
02 is smiling
03 is sleeping
04 are swimming
05 is running
06 are taking
07 am eating
08 is reading
09 is sitting
10 are doing

→ '~하고 있다'라는 의미는 현재진행형 「be동사의 현재형+동사의 -ing형」으로 나타낸다.

UNIT 2 p.11

01 isn't cooking
02 Are they reading
03 Is Thomas having
04 aren't swimming
05 Is he helping
06 isn't making
07 Are they ordering
08 isn't wearing
09 I'm not cleaning
10 Is Kate moving

→ 현재진행형의 부정문은 「be동사의 현재형+not+동사의 -ing형」으로 나타낸다.

→ 현재진행형의 의문문은 「be동사의 현재형+주어+동사의 -ing형 ~?」의 순서로 쓴다.

01 그녀는 파스타를 요리하고 있지 않다.
02 그들은 만화책을 읽고 있니?
03 토마스는 아침을 먹고 있니?
04 너는 바다에서 수영하고 있지 않다.
05 그는 그의 할머니를 도와드리고 있니?
06 나의 엄마는 파이를 만들고 계시지 않다.
07 그들은 피자를 주문하고 있니?
08 릴리는 청바지를 입고 있지 않다.
09 나는 내 방을 청소하고 있지 않다.
10 케이트는 그 소파를 옮기고 있니?

GRAMMAR IN SENTENCES p.12

01 crossing, He's crossing the street.
02 cutting, The girl is cutting the grass.
03 isn't, She isn't taking a shower.
04 Is, using, Is the man using a pencil?
05 Are, washing, Are they washing their car?
06 not staying, John and Emily are not staying in Seoul.

01 He's는 He is의 줄임말이므로 뒤에 동사의 -ing형이 오는 현재진행형 문장이 알맞다.
02 동사 cut은 '모음 1개+자음 1개'로 끝나므로 마지막 자음 t를 한 번 더 쓰고 ing를 붙인다.
04 의문문의 주어가 3인칭 단수 the man(→ he)이므로 앞에 Is가 와야 한다. use는 -e로 끝나는 동사이므로 e를 없애고 ing를 붙인다.
05 의문문의 주어가 they이므로 앞에 Are가 와야 한다. 맨 앞에 Are가 있으므로 현재진행형을 만드는 동사의 -ing형인 washing이 알맞다.
06 be동사 바로 뒤에 not이 와야 한다.

CHAPTER 4 숫자 표현과 비인칭 주어 it

UNIT 1 p.13

01 first	02 the second
03 four	04 fifth
05 Two	06 eighth
07 three	08 nine
09 the fourth	10 twenty-two

01 날짜의 '~일'은 서수로 나타낸다.
02 '두 번째' 층을 뜻하므로 서수로 나타낸다.
03, 05, 07 개수를 나타낼 때는 기수로 쓴다.
04 5의 서수는 fifth이다.
08 나이를 나타낼 때는 기수로 쓴다.
10 돈을 나타낼 때는 기수로 쓴다.

UNIT 2 p.14

01 X, August second	02 O
03 X, third	04 X, thirteen
05 O	06 X, three
07 X, years	08 O
09 X, one	10 X, dollars

01 날짜는 '월-일'의 순서로 쓴다.

03 날짜의 '~일'은 서수로 나타낸다.

06 3시 30분은 '3시를 지난 30분'이므로 past 뒤에 three가 와야 한다.

07 나이를 나타낼 때 두 살 이상은 years로 쓴다.

09 시간은 시와 분 모두 기수로 나타낸다.

10 20달러이므로 dollar 뒤에 s가 붙는다.

UNIT 3 p.15

01 It, hot	02 It, nine thirty
03 It, Friday	04 It, May 7th
05 It, 10 km	06 It, cold
07 It, Monday	08 It, half past one
09 It, warm	10 It, July 23rd

→ 날씨, 시각, 요일, 날짜, 거리 등을 나타낼 때는 비인칭 주어 it을 쓴다.

01 Q: 날씨가 어때요? A: 오늘은 더워요.

02 Q: 몇 시예요? A: 9시 30분이에요.

03 Q: 오늘은 무슨 요일인가요? A: 금요일이에요.

04 Q: 오늘은 며칠인가요? A: 5월 7일이에요.

05 Q: 얼마나 먼가요? A: 10 킬로미터 거리예요.

06 Q: 날씨가 어때요? A: 추워요.

07 Q: 오늘은 무슨 요일인가요? A: 월요일이에요.

08 Q: 지금 몇 시인가요? A: 1시 30분이에요.

09 Q: 밖에 날씨는 어떤가요? A: 따뜻해요.

10 Q: 며칠인가요? A: 7월 23일이에요.

GRAMMAR IN SENTENCES p.16

01 It, It is close to the school.
02 it, What time is it now?
03 It, It is Saturday.
04 first, They are in the first grade.
05 second, That is her second movie.
06 fifteen, He is fifteen years old.

04 '첫 번째' 학년을 뜻하므로 서수 first로 나타낸다.

05 '두 번째' 영화를 뜻하므로 서수 second로 나타낸다.

06 나이를 말할 때는 기수를 쓴다.

CHAPTER 5 의문사 의문문

UNIT 1 p.17

01 Where, is	02 Who, are
03 What, is	04 How, is
05 When, is	06 What, are
07 Where, is	08 What, are
09 When, is	10 Where, is

01 Q: 그 컵은 어디에 있니? A: 그것은 책상 위에 있어. / 컵이 있는 장소를 대답하고 있으므로 의문사 Where로 묻고, 주어 the cup(→ it)은 단수 명사이므로 is를 쓴다.

02 Q: 그 여자아이들은 누구니? A: 그들은 내 사촌들이야. / the girls가 누구인지 대답하고 있으므로 의문사 Who로 묻고, 주어 the girls(→ they)가 복수 명사이므로 are를 쓴다.

03 Q: 네가 가장 좋아하는 색은 무엇이니? A: 하얀색이야. / 가장 좋아하는 색이 무엇인지 대답하고 있으므로 의문사 What으로 묻는다.

04 Q: 날씨가 어떠니? A: 흐려. / 의문사 What을 이용해 날씨를 물을 때는 문장 뒤에 like가 와야 하므로 의문사 How가 알맞다.

05 Q: 네 생일은 언제니? A: 7월 14일이야. / 생일이 언제인지 답하고 있으므로 의문사 When으로 묻는다.

06 Q: 너는 무엇을 하고 있니? A: 나는 자전거를 타고

있어.

07 Q: 그 공원은 어디에 있니? A: 학교 근처에 있어.

08 Q: 그들은 무엇을 만들고 있니? A: 그들은 쿠키를 만들고 있어.

09 Q: 그의 생일은 언제니? A: 5월 8일이야.

10 Q: 케이트는 어디에 있니? A: 그녀는 학교에 있어.

UNIT 2 p.18

01 What, does
02 What, do
03 When, leave
04 Where, does
05 What, like
06 Where, do
07 What, does
08 How, does
09 When, does
10 How, go

01, 06, 08 주어 뒤에 동사원형이 오므로 「의문사+do/does+주어+동사원형 ~?」 형태가 되어야 한다.

03, 05, 10 의문사가 있는 일반동사 의문문에서도 주어 뒤에는 항상 동사원형이 온다.

04, 07, 09 주어가 3인칭 단수이므로 does가 알맞다.

UNIT 3 p.19

01 How
02 What time
03 Whose
04 How, old
05 What, day
06 How much
07 Whose
08 What, grade
09 How, much
10 What, color

01 Q: 그것들은 얼마인가요? A: 48달러입니다.

02 Q: 너는 몇 시에 일하러 가니? A: 나는 오전 7시에 일하러 가.

03 Q: 이것은 누구의 연필이니? A: 그것은 제시카의 것이야. / 누구의 것인지(Jessica's) 대답하고 있으므로 소유를 묻는 의문사 Whose가 알맞다.

04 Q: 너는 몇 살이니? A: 나는 11살이야.

05 Q: 오늘은 무슨 요일이니? A: 화요일이야.

06 Q: 그것은 얼마인가요? A: 200달러입니다.

07 Q: 그것은 누구의 우산이니? A: 그것은 그의 것이야.

08 Q: 테일러는 몇 학년이니? A: 그는 4학년이야.

09 Q: 그 자전거는 얼마인가요? A: 100달러입니다.

10 Q: 네 공책은 무슨 색이니? A: 초록색이야.

GRAMMAR IN SENTENCES p.20

01 How are, How are they?

02 Where is[Where's], Where is[Where's] the school?

03 What is[What's], What is[What's] your sister doing?

04 What do, What do you like?

05 Whose, Whose book is this?

06 How much, How much is this necklace?

03 '무엇을 ~하고 있니?'라는 의미의 의문사 What이 쓰인 현재진행형 의문문인 「What+be동사+주어+동사의 -ing형?」 형태가 되어야 한다.
주어는 3인칭 단수 your sister(→ she)이므로 앞에 is를 쓴다.

04 '무엇을 ~하니?'라는 의미의 의문사 What이 쓰인 일반동사 의문문인 「What+do/does+주어+동사원형 ~?」 형태가 되어야 한다. 주어는 you이므로 앞에 do를 쓴다.

CHAPTER 6 형용사와 부사

UNIT 1 p.21

01 short skirt	02 is good
03 strong man	04 sweet snack
05 big trees	06 are old
07 is famous	08 cold milk
09 easy question	10 are beautiful

01, 03, 04, 05, 08, 09 「형용사+명사」의 순서로 쓴다.
02, 06, 07, 10 「be동사+형용사」의 순서로 쓴다.
01 그것은 짧은 치마이다.
02 그 영화는 좋다.
03 그는 힘이 센 남자이다.
04 그것은 달콤한 간식이다.
05 그것들은 커다란 나무들이다.
06 그 자동차들은 낡았다.
07 그 여배우는 유명하다.
08 그것은 차가운 우유이다.
09 그것은 쉬운 문제이다.
10 그 장미들은 아름답다.

UNIT 2 p.22

01 late	02 perfectly	03 loud
04 slow	05 fast	06 hard
07 easily	08 smart	09 high
10 happily	11 carefully	12 well
13 quiet	14 early	15 cold

01 동사 goes를 꾸며주는 말이 필요하므로 부사 자리이다. late는 형용사와 부사의 모양이 같다.
02 동사 sings를 꾸며주는 말이 필요하므로 부사 자리이다.
03 be동사 is 뒤에서 주어 Her voice를 설명해주는 말이 필요하므로 형용사 loud가 알맞다.
04 be동사 are 뒤에서 주어 Snails를 설명해주는 말이 필요하므로 형용사 slow가 알맞다.
05 동사 run을 꾸며주는 말이 필요하므로 부사 자리이다. fast는 형용사와 부사의 모양이 같다.
06 동사 studies를 꾸며주는 말이 필요하므로 부사 자리이다. hard는 형용사와 부사의 모양이 같다.
07 동사 can climb을 꾸며주는 말이 필요하므로 부사 자리이다.
08 be동사 is 뒤에서 주어 The girl을 설명해주는 말이 필요하므로 형용사 smart가 알맞다.
09 동사 flies를 꾸며주는 말이 필요하므로 부사 자리이다. highly는 '매우, 크게, 대단히'라는 뜻으로 전혀 다른 의미로 쓰인다.
10 동사 are playing을 꾸며주는 말이 필요하므로 부사 자리이다. happy는 '자음+y'로 끝나므로 y를 i로 바꾸고 -ly를 붙인다.
11 동사 drives를 꾸며주는 말이 필요하므로 부사 자리이다.
12 동사 dances를 꾸며주는 말이 필요하므로 부사 자리이다. 형용사 good의 부사는 well이다.
13 be동사 is 뒤에서 주어 My teacher를 설명해주는 말이 필요하므로 형용사 quiet가 알맞다.
14 동사 exercises를 꾸며주는 말이 필요하므로 부사 자리이다. early는 형용사와 부사의 모양이 같다.
15 be동사 is 뒤에서 주어 The weather를 설명해주는 말이 필요하므로 형용사 cold가 알맞다.

GRAMMAR IN SENTENCES p.23

01 old, It is an old story.
02 much, My brother doesn't have much money.
03 difficult puzzles, These are difficult puzzles.
04 well, Angela sings well.
05 fast, The robot cleans your room fast.
06 quietly, The baby is sleeping quietly.

02 셀 수 없는 명사 money 앞에는 양이 많음을 나타내는 much가 알맞다.
03 「형용사+명사」의 순서로 써야 알맞다.
04 동사 sings를 꾸며주는 말이 필요하므로 부사 well이 알맞다.
05 동사 cleans를 꾸며주는 말이 필요하므로 부사가 알맞다. fast는 형용사와 부사의 모양이 같다.
06 동사 is sleeping을 꾸며주는 말이 필요하므로 부사 quietly가 알맞다.

CHAPTER 7 전치사

UNIT 1 p.24

01 on	02 in front of	03 next to
04 under	05 at	06 on
07 behind	08 between	09 in
10 on	11 next to	12 under
13 in front of	14 between	15 in

05 전치사 at은 비교적 좁은 장소나 특정 지점 앞에 쓰인다.
15 나라 이름 앞에는 전치사 in을 쓴다.

UNIT 2 p.25

01 at	02 on	03 in	04 on	05 in
06 in	07 at	08 on	09 in	10 on
11 at	12 in	13 on	14 on	15 in
16 in				

01, 07, 11 '구체적인 시각, 특정한 때' 앞에는 전치사 at을 쓴다.
02, 04, 08, 10, 13, 14 '요일, 날짜, 특정한 날' 앞에는 전치사 on을 쓴다.
03, 05, 06, 09, 12, 15, 16 '월, 계절, 연도, 아침, 오후, 저녁'을 나타내는 말 앞에는 전치사 in을 쓴다.

GRAMMAR IN SENTENCES p.26

01 in front of, The girl is in front of the door.
02 in, Children's Day is in May.
03 on, Paul is standing on the street.
04 between, His house is between the bank and the hospital.
05 on, Mina's birthday is on January 22nd.
06 at, The store opens at 10 a.m.